「お家にある材料」で おもしろ科学の 実験図鑑

今日から 理系思考!

セルゲイ・ウルバン　黒木章人 訳

THE DAD LAB™

40 Quick, Fun and Easy Activities to Do at Home
by Sergei Urban

原書房

　新型コロナウイルスは世界中に影響を与えています。〈ソーシャルディスタンス〉が新しい社会のルールになり、マスクと手袋を身に着けているのはスーパーヒーローだけではなくなりました。ぼくたち全員がこの未知のウイルスに"やられてしまった"と言っても過言ではないでしょう。このパンデミックへの対応は国ごとに異なりますが、世界中の人々は等しく他者から隔離された状況に置かれています。今回の未曾有の事態が始まってから数カ月が経ちますが、ウイルスとの戦いはまだまだ続きそうです。この戦いに勝利を収めたいのであれば、まだまだ〈ステイホーム〉を続けなければなりません。そこで問題になるのが、その〈ステイホーム〉の時間をどうやって過ごせばいいのか？　ということです。

　こんな困難な時代を生きるみなさんに、ぼくはこんな言葉をかけてあげたいのです――ステイ・ポジティブ！　このように難しい状況にあっても、ぼくたち人間はいいことをたくさん見つけることができます。〈ステイホーム〉にだって、いい面があります。おかげで自由な時間ができて、自分たちの生活と人生についてじっくりと考えたり、新たに打ちこめる趣味や遊びを見つけたりすることができました。まさしく"災い転じて福となす"です。そしてこの『今日から理系思考！「お家にある材料」でおもしろ科学の実験図

鑑』は、科学者やアーティストやエンジニアといった、創意あふれる"お仕事"を試すことができます。ぼくがこの本で紹介する数々の実験を考案したのは、ふたりの息子たちに楽しく遊んで楽しく学んで、そして楽しい思い出を作ってもらうためです。ふと気づくと、考案したぼくもいっしょになって学んでいました。あらためて言いますが、ぼくは科学者でもなければ教師でもありません。それでもぼくたちを取り巻く世界が美しいことを知り、その美をさらに求めるようになりました。そしてその美は、もっぱら家のなかで見つかりました。

　〈ステイホーム〉を続けるということは、これからも人との接触を可能なかぎり避けなければならないということになります。でも忘れないでください。みなさんの大好きな人、大切な人とはインターネットを経由して今でもつながっているのです。このつながりのおかげで、あなたもあなたの大切な人もポジティブな気分になることができます。そしてあなたがハッピーでいるかぎり、この本で紹介する科学と芸術についての不思議な実験であなたの好奇心を試すことができます！

　たくさんの愛とアドバイスを込めて

　セルゲイ・ウルバン

https://www.facebook.com/thedadlab
https://www.instagram.com/thedadlab
https://www.youtube.com/c/thedadlab
https://thedadlab.com/

この本を、いつもいっしょにいてくれる
生涯の伴侶ターニャと、
ぼくを父親にしてくれた
アレックスとマックスに捧げます。

◯内の数字は実験の所要時間です。

キッチンで実験

p12　エッグタワーチャレンジ

ザ・科学実験

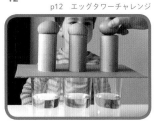

p56　風船で蛍光灯を点けてみよう

家族で盛り上がる実験

p78　芝生ハリネズミ

ちょっとヤバい実験

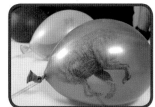

p128　恐竜の卵の化石

10分でできる実験

p146　磁石の力を見てみよう

「映え」る実験

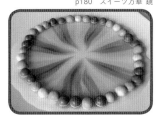

p180　スイーツ万華鏡

〈TheDadLab〉について

　ぼくはセルゲイ・ウルバン、マックスとアレックスの父親です。2歳ちがいで同じ日に生まれたからでしょうか、ふたりはとてもよく似ています。いつも同じおもちゃで遊びたがるんですよ！

　ぼくもマックスもアレックスも、いろんな遊びや実験を考えたり、簡単な工作や教育玩具（これは〈TheDadLab〉でも扱っています）で遊ぶことが大好きです。でもぼくは科学者でもなければ教師でもありません。ただの専業の父親です。

　そんなぼくは、お子さんたちの知識欲をかきたて、同時にその好奇心をさらによく理解するための、家でできる創意豊かな実験や遊びをできるだけ多くの親御さんたちと共有して、お子さんと過ごす時間をより充実したものにする一助になればという思いから、〈TheDadLab〉を立ち上げました。このアイディアは、ぼくが父親になったときにふと思いつきました。でも大それたことを考えていたわけではありません。それでもぼくがYouTubeに投稿した動画は、世界中のみなさんからたくさんの〈いいね！〉をいただきました。そのおかげで、妻とこのサイトのファンのみなさんからの大きな支えを得ながら〈TheDadLab〉を仕事にすることができたばかりか、大切な息子たちと過ごす時間がぐんと増えました。ほんといいことずくめです。この本を手にしたみなさんが、お子さんにいろいろなものを調べさせたり遊ばせたりして楽しい思い出を作っていただけたらと願っています。

　この本には、ぼくとふたりの息子たちが楽しく実験している写真が載っていますが、だからといって男の子向けの本だとは思わないでください。〈TheDadLab〉の実験は女の子だって存分に楽しむことができます。この本の目的は、性別も文化も年齢も超えて科学する心を育むことにあります。

　〈TheDadLab〉での活動を紹介した動画はwww.thedadlab.comやフェイスブック、インスタグラム、そしてYouTubeで見ることができます。みなさんもハッシュタグ#TheDadLabを使って、お子さんたちとの楽しい実験を共有してみてください。

正直言って、親業に自由な時間はあまりありません。なのでぼくは、〈TheDadLab〉の実験は家にあるものを使った、子どもたちもぼくも必ず楽しめる実験にしようといつも心がけています。そして特別な知識や技術なんか要らないことを大前提にしました。とにかく、みなさんがお子さんの──息子さんであれ娘さんであれ、そして何歳であれ──創造性を育み、これから紹介する実験にみなさんなりの工夫を加えてくれるようになることを願っています。でも必ずみなさんもいっしょにやってくださいね。

〈TheDadLab〉では何百もの実験を息子たちといっしょにやってきましたが、この本ではそのなかのベスト40を取り上げています。

お子さんたちに科学と芸術の手ほどきをすることが〈TheDadLab〉の目的ですが、それよりも何よりも一番重要なのは、ご家族との楽しい時間の過ごし方を提案することです。思い出づくりにしてもいいですし、親子の絆を深めてもいいですし、もちろんただいっしょに過ごすだけでもいいんです。

この本はシーン別に6つの章に分かれています。それぞれの実験にかかる時間もさまざまなので、ちょっと手が空いたときにできるものも、腰を据えてやるものもあります。キッチンにあるものを手に取ってすぐできるものもあります。しかも全部家のなかやお庭やベランダでできるものばかりです。

自分は科学のことなんか知らないから、科学実験なんかやらないほうがいいんじゃないか──そう考えている親御さんは多いと思います。でも〈TheDadLab〉の実験は科学のことを全然わかっていなくても全然問題ありません。だって科学で一番大切なことのひとつは答えを知ることではなくて疑問を持つことなのですから。知らないからこそ、お子さんといっしょに「もし○○したらどうなるんだろう？」と考えることができるのです。どうしてそうなるのかという理由（科学的法則とかです）をちゃんと理解する必要なんかありません。そもそも科学者だって科学のすべてを知っているわけではありません。お子さんに訊かれても「わかんない」と答えたっていいんです。でもそのあとに「いっしょに考えてみようか？」って言いましょう。

それでも一応〈どうしてこうなるの？〉というかたちで理由は説明してあります。そしてそれぞれの実験と社会や世界との関わりについても〈さらにもうワンポイント〉で解説してあります。娯楽というものは、科学と同じように自分の目でしっかりと確かめてこそ、その本当の意味を理解することができます。そして科学にしたって、娯楽と同じように楽しいものに決まっています。

それではみなさん、〈TheDadLab〉を思いっきり楽しんでください！

キッチンで実験

エッグタワーチャレンジ

卵を割らずに水に落とすことができるかな?

用意するもの

- ☑ 生卵
- ☑ コップ
- ☑ 水
- ☑ 紙皿（硬い段ボールでも OK）
- ☑ トイレットペーパーの芯

学習のめあて

慣性の力を知る

所要時間

20 分

手順

1

水を半分注いだコップの上に紙皿を置いて、その真ん中にトイレットペーパーの芯を立てます。

2

卵をトイレットペーパーの芯の上に横にして載せます。縦にすると芯のなかにはまってしまうので注意。

3

4 紙皿を横から手で勢いよく叩きます。

5 皿が横に飛んでいくと、その勢いでトイレットペーパーの芯は倒れますが、卵はそのまま真っすぐコップのなかに落ちていきます。

テーブルの上に紙を敷いて、その上に紙コップを逆さにして置きます。紙をゆっくり引くと、紙コップもいっしょに動きます。つぎは紙を一気に引っ張ってみてください。どうなりますか？　どうしてそうなると思います？

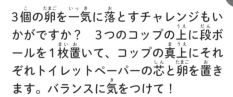

6 3個の卵を一気に落とすチャレンジもいかがですか？　3つのコップの上に段ボールを1枚置いて、コップの真上にそれぞれトイレットペーパーの芯と卵を置きます。バランスに気をつけて！

7 勢いよく正確に叩かないと、卵はまっすぐ落ちません。失敗した場合にも備えておきましょう。ゆで卵を使ってもいいでしょう。

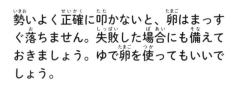

どうしてこうなるの？

　紙皿は横に動くのに、その上にある卵はどうしていっしょに横に飛んでいかないのでしょうか？　それは、"止まっている物体そのものに力がかからなければ、その物体はその場から動かない"という慣性の力がはたらくからです。

　紙皿の横を叩くと、トイレットペーパーの芯は皿に接しているのでいっしょに引きずられます。でも芯の上の卵はその場に留まろうとします。なので芯が横倒しになってもいっしょに横には動きません。でも芯が倒れてしまうと卵を支えるものがなくなってしまいます。するとこんどは重力がはたらいて、卵はそのまま真下に落ちていくのです。

さらにもうワンポイント

　慣性の力は"静止している物体"だけに作用するわけではありません。逆に"動いている物体"にもはたらいているのです。電車のなかで立っているときに電車が急停車したら、手すりをつかんでいないとまえのほうにつんのめったり倒れたりしてしまいますよね。つまり慣性は、"物体が動いている方向はなかなか変えられない"という力も持っているのです。まあ、なにごとも変化するには努力が必要ですよね。

こんな実験もいかが？

　フタのない箱のなかにボールを入れて、車に載せてみましょう。車をスタートさせたら、はたしてボールはどんな動きを見せるでしょうか？　そしてブレーキをかけたら？

　雑誌を何冊か重ねて、真ん中の雑誌を引っこ抜いたらどうでしょう？

急ブレーキを踏んでタイヤの回転が止まっても、車そのものはそのままスリップしつづけます。慣性の力がはたらいているからです

透明な消火器

見えないし、においもしないもので火を消そう

用意するもの

- ☑ 酢（1カップくらい）
- ☑ 重曹（ベーキングパウダー）
- ☑ タンブラーグラス2個
- ☑ キャンドル数個

学習のめあて

二酸化炭素は
どうやって生じるのか

所要時間

15分

手順

キャンドルを並べて火を点けます。

タンブラーグラスに酢を2センチぐらい
注ぎます。

小さじ1杯の重曹（ベーキングパウダー）
を酢に加えます。するとシュワシュワと
泡立ってきます（泡がタンブラーからあ
ふれないようにしてください）。

そのタンブラーを、何かを注ぐようにしてもう1個のタンブラーにかたむけます。でも泡立った酢を注がないでください。実際には、なかの"ガス"が注がれます。

空っぽのタンブラーに注がれた"ガス"を、こんどはキャンドルの上に注ぎます。すると火が消えます。

酢が泡立っているあいだは、この"消火ガス"がどんどん出てきます。

二酸化炭素消火器が必要になるのはどんなときでしょう？

空気と二酸化炭素では、どちらが重いでしょうか？

酢に重曹を入れると化学反応が起こり、二酸化炭素（CO_2）が発生します。泡の正体はCO_2なのです。目に見えないCO_2は空気のなかに放出されていきますが、じつはCO_2は空気より重いので、空気の下に沈みます（このことは p.60「コップで密度を調べてみよう」でくわしく説明します）。泡立つ酢が入ったタンブラーをかたむけると、なかに溜まっていたCO_2が空っぽのタンブラーに流れ落ちていきます。流れ落ちたCO_2は、空気がフタをするので外には出ていきません。でも時間が経つと空気と混ざってしまうので、すぐに実験しましょう。

CO_2が入ったタンブラーをキャンドルの上でかたむけると、CO_2は下に落ちていきます。そしてキャンドルの火のまわりにある酸素などでできている空気を押しのけて、火に覆いかぶさります。酸素がなければ火は燃えないので、火は消えてしまいます。

本物の消火器でもCO_2を使っているものがあります。CO_2をノズルから噴射して火にかぶせて消してしまうのです。粉も泡も火にかぶせると酸素を遮断するので、消火器の中身に使われます。水をかけると火が消えるのも同じ理由です。二酸化炭素消火器のなかには高圧のCO_2が詰まっています。この消火器は、水や泡をかけると感電する危険がある電気機器の消火にはもってこいです。

ラベルにCO_2と記された二酸化炭素消火器。どんなものが燃えているのか考えて、消火器を使い分けることが大切です

こんな実験もいかが？

❶ ビンのなかに酢を2センチぐらい注ぎます。❷ 小さじ2杯の重曹（ベーキングパウダー）を、じょうごを使って風船のなかに入れます。❸ 重曹（ベーキングパウダー）がこぼれないようにして、風船の口をビンの口にかぶせます。❹ 風船を立てて、なかの重曹（ベーキングパウダー）をビンのなかに落とします。さあ、どうなるでしょう？

卵の上を歩いてみよう

卵の殻は意外と強い！

<ruby>用意<rt>よう い</rt></ruby>するもの

☑ <ruby>卵<rt>たまご</rt></ruby>の10<ruby>個<rt>こ</rt></ruby><ruby>入<rt>い</rt></ruby>りパックをふたつ

<ruby>学習<rt>がくしゅう</rt></ruby>のめあて

<ruby>卵<rt>たまご</rt></ruby>の<ruby>殻<rt>から</rt></ruby>は

<ruby>思<rt>おも</rt></ruby>っている<ruby>以上<rt>いじょう</rt></ruby>に<ruby>丈夫<rt>じょうぶ</rt></ruby>

<ruby>所要時間<rt>しょ よう じ かん</rt></ruby>

10<ruby>分<rt>ふん</rt></ruby>

<ruby>注意<rt>ちゅうい</rt></ruby>！　この<ruby>実験<rt>じっけん</rt></ruby>のまえと<ruby>終<rt>お</rt></ruby>わったあとは、<ruby>両手<rt>りょうて</rt></ruby>と<ruby>両足<rt>りょうあし</rt></ruby>の<ruby>裏<rt>うら</rt></ruby>を<ruby>石<rt>せっ</rt></ruby>けんでしっかりと<ruby>洗<rt>あら</rt></ruby>ってください。

<ruby>手順<rt>て じゅん</rt></ruby>

1

<ruby>卵<rt>たまご</rt></ruby>をパックごと<ruby>床<rt>ゆか</rt></ruby>に<ruby>置<rt>お</rt></ruby>きます。このとき、どの<ruby>卵<rt>たまご</rt></ruby>も<ruby>端<rt>はし</rt></ruby>がとがっているほうが<ruby>上<rt>うえ</rt></ruby>を<ruby>向<rt>む</rt></ruby>いているかどうか、ちゃんと<ruby>確認<rt>かくにん</rt></ruby>してください。

2

はだしで<ruby>卵<rt>たまご</rt></ruby>の<ruby>上<rt>うえ</rt></ruby>に<ruby>乗<rt>の</rt></ruby>ってみると……

3

……ほらできた！

つぎは大人が乗ってみましょう。さあ、
どうです？

?

1パックでもいけますか？　勇気があれば、
片足で立ってみてください。

どうしてこうなるの？

"細心の注意を払う"ことを英語では〈卵の殻の上を歩く〉と言います。でもその言葉どおりに大人が卵に乗っても卵は割れません。なぜでしょう？

実際には、乗ったあなたの全体重がひとつの卵にかかっているわけではありません。片足で6個の卵を踏んでいれば、ひとつの卵にかかる体重は12分の1に分散されるのです。それでもまだ結構な重さですが、卵は正しい方向からの力に対しては驚異の耐久性を見せるのです。卵の両端、とくにとがったほうは橋などで使われている〈アーチ構造〉になっていて、全体的な圧力に対しては受けた力が均等に分散され、大きな力や衝撃にも耐えることができます。その一方で、一点に集中する力には弱いのです。ナイフで卵を叩くと、薄い刃が当たったところに力がかかり、割れてしまいます。

さらにもうワンポイント

とは言え、卵の殻は頑丈というほどではありません。だって、頑丈だったらヒヨコは殻を割って出てくることができないじゃないですか。でもカタツムリやカニやカキなどの殻は敵に食べられないように身を守る鎧なので頑丈です。なかでもカキの殻は、ベニヤ合板のようにたくさんの層が重なってできているのでとくに頑丈です。この層は1枚1枚が硬くて、たとえどれか1枚が割れても、その下は大丈夫です。この超頑丈な多層構造は防弾ベストにも応用されています。

いくつもの層が重なっているカキの殻

こんな実験もいかが？

落としたり叩いたりしたらすぐに割れるので、卵は"もろい"ものと思われがちです。でも手で握り潰すことができますか？　お子さんに卵を片手で持ってもらって、思いっきり握ってもらってください。でも、かならず流し台でやってくださいね！

お家で
バターを作ろう

実験が終わったら食べてみよう！

- ☑ 生クリーム1パック
  （かならず動物性のものを
  使ってください）
- ☑ フタつきの大きな広口のビン

学習のめあて

- - - - - - - - - - - - - - -
バターの作り方
- - - - - - - - - - - - - - -

所要時間

20
分

手順

1

ビンに生クリームを入れて、フタをしっかりと閉めます。

2

ビンを激しくシェイクシェイク！　お子さんが疲れたら、かわりにあなたが振ってあげましょう。

3

振っていくうちに、生クリームはだんだんドロッとしてきます。ときどきフタを開けて、中身がどう変化しているのかをお子さんに見せてあげましょう。

そのうち生クリームは硬くなり、黄色の
かたまりにまとまります。これがバター
です。

バターといっしょに、透明な液体もでき
ています。これはホエー（乳清）です。

ビンを振ってバターを出して……

そのままパンやクラッカーに塗って召し
あがれ♪

?

バターのクリーミーな美味しさの秘密は、溶
ける温度が口のなかの温度にとても近いとこ
ろにあります。

どうしてこうなるの？

昔は生クリームを樽に入れて、グルグルと回してバターを作っていました。今回の実験はそれと同じことをやったのです。牛乳と生クリームのなかには脂肪球と呼ばれる粒子が漂っています。牛乳の場合は5〜10パーセント、生クリームの場合は15〜25パーセントの脂肪球が含まれています。牛乳のなかにある脂肪球の表面をおおって膜を作る分子のおかげで、脂肪球は互いにくっつきません。でも牛乳を振ったりかき混ぜたりすると膜が破れて、脂肪球は少しずつくっつき合って、脂っぽいかたまりになります。それがバターです。

さらにもうワンポイント

牛乳の色は黄色みがかった乳白色ですが、この色は牛乳のなかのたんぱく質と脂肪球が作り出しています。たんぱく質の微粒子は、牛乳の水分のなかに均等に散らばっています。この微粒子ひとつひとつに光が当たって乱反射するので、牛乳は不透明な乳白色に見えるのです。黄色みがかっているのは脂肪球に含まれているカロテンのせいです。雲や霧が白く見えるのも同じ理由です。空気中を漂っている水の微粒子は透明ですが、日光が当たって乱反射するので白く見えるのです。

こんな実験もいかが？

バターを作ったら、こんどは物質によって熱の伝わり方がちがうことをたしかめてみましょう。木とプラスティックと金属でできたスプーンをそれぞれ用意して、その握り手の端にバターを少しのせます。そしてボウルを用意して、それぞれの端がボウルから出るようにしてスプーンを置いて、ボウルに熱湯を注ぎます。どのスプーンのバターが最初に溶け出すのか見てみましょう。

空を漂う水の微粒子に日光が乱反射すると、こんな素晴らしい景色になります

ケチャップダイバー

思い通りに浮かべたり沈めたりできるよ！

用意するもの
<small>よう い</small>

- ☑ ケチャップのミニパック
- ☑ 水
  <small>みず</small>
- ☑ 大きめのペットボトル
  <small>おお</small>
  （口が大きいもののほうがベター）
  <small>くち　おお　おお</small>

学習のめあて
<small>がく しゅう</small>

圧力に応じて
<small>あつりょく　おう</small>
空気の密度は変化する
<small>くう き　みつ ど　へん か</small>

所要時間
<small>しょ よう じ かん</small>

15 分
<small>ふん</small>

手順
<small>て　じゅん</small>

1

ペットボトルのなかにケチャップのミニパックを押しこみます。
<small>お</small>

2

ペットボトルが完全に満タンになるまで水を注ぎます。するとミニパックは浮かんできます。浮かんでこなかったら別のミニパックと替えてください。
<small>かん ぜん　まん</small>
<small>みず　そそ</small>
<small>う</small>
<small>う</small>
<small>べつ</small>
<small>か</small>

3

ペットボトルのキャップをしっかりと閉めます。水のなかに気泡ができていないかチェックしてください。

4

ペットボトルをぎゅっと握ると、ミニパックは沈んでいきます。

5

手を放すと、ミニパックはまた浮かんできます。

こんな 実験もいかが？

浮力は別の実験でも調べることができます。大きなボウルに水を入れて、オレンジを1個入れてみましょう。浮かびますか？ それとも沈みますか？ つぎはそのオレンジの皮をむいて、水に入れてみましょう。どうなりますか？ 皮をむくまえとあとでは、どうしてちがうのか考えてみましょう。

ケチャップは水よりも重いので、ミニパックの中身が全部ケチャップだったら水に沈みます。でも普通はミニパックのなかには小さな泡が（つまり空気が）あるので、そのせいで浮力が生じます。水がパンパンに詰まったペットボトルをぎゅっと握ると、なかの水に圧力がかかります。でも圧力を受けても、水はそう簡単には圧縮されません。圧力はそのままミニパックにかかり、さらにそのなかの空気の泡にかかります。空気は水よりもずっと簡単に圧縮できます。泡の容積は小さくなりますが、泡そのものの重さは変わりません。これは泡のなかの空気の密度が増したということです。つまり水の密度よりもミニパックの密度のほうが高くなり、沈んでいくのです。空気のような気体は、水のような液体よりも圧縮しやすいことがポイントです。

浮力の調節はスキューバダイビングでは必要不可欠です。肺のなかに空気が入っていることもあって、人間のからだは水に浮かびます。なのでダイバーはおもりをつけて海に潜ります。そして浮上したり浮上する速さを調節したりするときは浮力調整装置（BCD）を使います。BCDはベストのかたちをした風船のようなもので、ダイバーはそのベストを着ています。浮上したいときは、背負っている空気ボンベの空気をBCDに注入します。ボンベのなかの圧縮された空気は、BCDのなかに放出されると密度が下がるので浮力が増します。浮力を減らしたいときは、BCDのなかの空気を少しずつ水中に放出します。

スキューバダイビングでは、浮力の調整が必要不可欠

かたちが変わると浮力も変化するのでしょうか？　ケチャップのミニパックの代わりにアルミホイルなどでもためしてみてください。

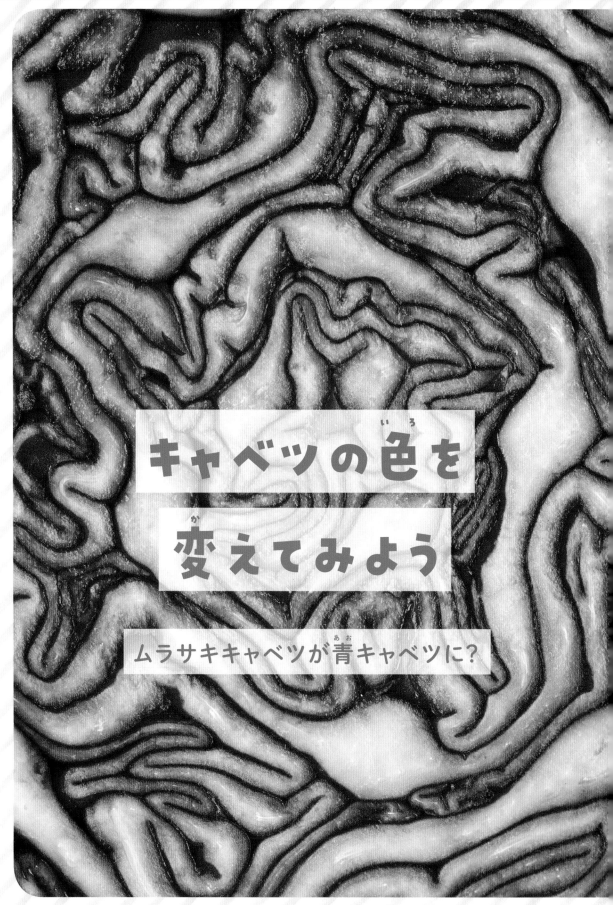

キャベツの色を変えてみよう

ムラサキキャベツが青キャベツに？

用意するもの

- ☑ ムラサキキャベツの葉っぱ数枚
- ☑ 酢
- ☑ レモンのしぼり汁
- ☑ 水1リットル（うすめる水も少々）
- ☑ 小さなコップ2個
- ☑ 重曹（ベーキングパウダー）と粉末洗剤
- ☑ ミキサー
- ☑ ピッチャー
- ☑ ざる
- ☑ 透明なプラスティックのコップ5個
  （ガラスのコップでもOK）
- ☑ スポイト2個
- ☑ 保護ゴーグル

学習のめあて

酸性かアルカリ性かで
色が変わる

所要時間

40分

注意！　これは化学の実験なので、お子さんには保護ゴーグルをかけさせたほうがいいでしょう。レモンのしぼり汁が目に入ったらしみますよ！

手順

1

ミキサーに1リットルの水とムラサキキャベツを入れてジュースを作って、ざるでこします。

2

透明なプラスティックのコップを5個並べて、それぞれに1のジュースを3センチぐらい注ぎます。

つぎに、水をコップのふちから3センチのところまで注いでうすめます。うすめるのは、そのほうが色の変化がよくわかるからです。

小さなコップ2個に酢とレモンのしぼり汁をそれぞれ入れます。

自分から見て右端のプラスティックのコップに酢を、そのとなりのコップにレモンのしぼり汁を、それぞれ別のスポイトを使って入れてみましょう。さあ、どうなりますか？

真ん中のコップには何も入れません（これは"中性"で、酸性でもアルカリ性でもありません）。右端から4つめのコップには重曹（ベーキングパウダー）を、そして左端のコップには粉末洗剤を、それぞれ小さじ2杯入れます。

ムラサキキャベツのジュースの色はどう変わりましたか？

　ムラサキキャベツにはアントシアニンという色素が含まれています。アントシアニンは中性だとムラサキ色ですが、酸性になるとピンクがかった赤に、アルカリ性になると緑がかった青に変わります。アントシアニンのように酸性かアルカリ性かで色が変わるものを指示薬といいます。酸性かアルカリ性かを調べるリトマス試験紙と同じことなのです。酢とレモン汁は酸性で、重曹（ベーキングパウダー）と粉末洗剤はアルカリ性です。同じ酸性同士、アルカリ性同士で色合いが少しちがってくるのは、酸度とアルカリ度のちがいがあるからです。酸性の度数はレモンのしぼり汁＞酢、アルカリ性の度数は粉末洗剤＞重曹（ベーキングパウダー）の順です。

　ほとんどの植物の色素は指示薬を含んでいます。なのでその植物が生えている土が酸性かアルカリ性かで花や葉っぱの色が変わる植物もあります。たとえばアジサイは、ムラサキキャベツと正反対に色が変わります。酸性の土で育ったアジサイは青い花を咲かせ、アルカリ性の場合は赤い花を咲かせます。

酸性の土で育ったアジサイは青い花、
アルカリ性の場合は赤い花を咲かせます

こんな実験もいかが？

　キッチンにあるいろいろな液体をムラサキキャベツのジュースに入れて、色がどう変わるのかためしてみましょう。ただし、かならず大人がいっしょにいてください。

　ムラサキキャベツと同じ実験ができる植物がいくつかあります。アメリカンチェリーやレッドオニオン、イチゴ、ターメリックなどでためしてみましょう。

ザ・科学実験

磁石を作ってみよう

釘と電池で磁石になる？

用意するもの

- ☑ 大きめの釘
- ☑ 40センチの被覆銅線
  （両端のビニールを5センチほど
  はがしておきます）
- ☑ 単2乾電池
- ☑ 10センチ×3センチ程度の段ボール
- ☑ ペーパークリップ
- ☑ セロハンテープ

学習のめあて

磁力は電気で

作ることができる

所要時間

30分

手順

釘は磁石ではないので、ペーパークリップはくっつきません。

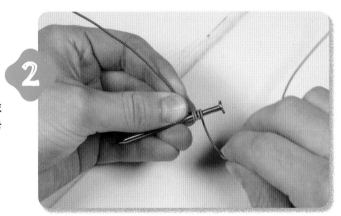

釘に被覆銅線をきっちりと巻きつけます。銅線の両端は10センチぐらい巻きつけずに残しておいてください。

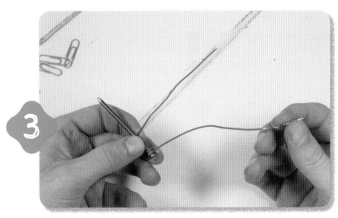

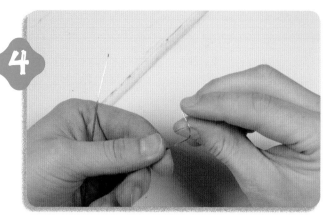

ビニールをはがした部分を両方とも丸く曲げます。

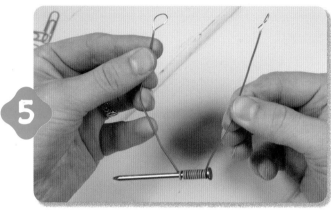

乾電池を段ボールの真ん中に置いてセロハンテープで留めます。

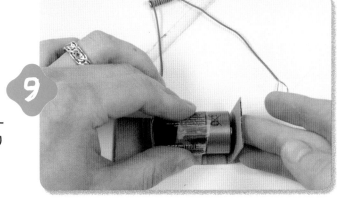

銅線の片方の端を乾電池の平らなほう
（-）にセロハンテープで貼りつけます。

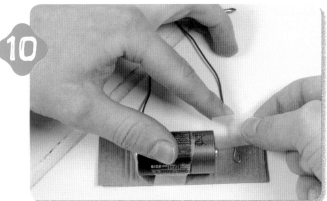

乾電池の出っ張ったほう（+）の段ボー
ルを折り曲げ、へっこむぐらい出っ張り
に押しつけます。

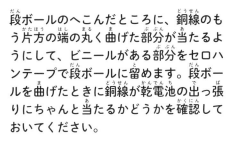

段ボールのへこんだところに、銅線のも
う片方の端の丸く曲げた部分が当たるよ
うにして、ビニールがある部分をセロハ
ンテープで段ボールに留めます。段ボー
ルを曲げたときに銅線が乾電池の出っ張
りにちゃんと当たるかどうかを確認して
おいてください。

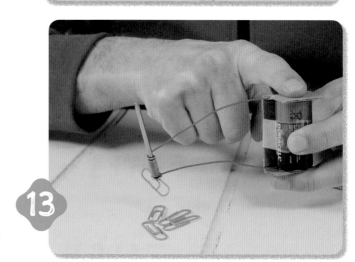

銅線を巻いた釘をペーパークリップの少し上に持ってきて、段ボールの端を曲げて銅線に乾電池の電気を流します。

注意！　電気を流しつづけていると銅線が熱くなるので、電気を流すのは10秒以内にしてください。

ペーパークリップはどうなりますか？

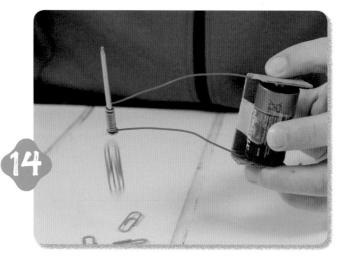

段ボールの端を戻して電気の流れを止めると、こんどはどうなりますか？

どうしてこうなるの？

　この実験で作ったのは、電気を流すと磁力が生まれる電磁石です。電気と磁力は切っても切れない関係にあります。銅線に電気が流れると、その周囲に磁場が生じます。銅線をコイル状にすると磁場の力は大きくなります。そしてその磁場が釘を磁石に変えるのです。電気が流れると磁場ができることは、19世紀の初めにハンス・エルステッドというデンマークの物理学者が発見しました。

さらにもうワンポイント

　電磁石はあちこちで使われています。マグネットクレーンもそのひとつです。マグネットクレーンは、この実験で作ったような、磁力を発したり消したりできる巨大で強力な電磁石金属を持ち上げることができます。このクレーンは、ガラクタ置き場から金属を集めるときに使います。スクラップにした車などを持ち上げて、別の場所に運んで電気の流れを切ると、そこにドサッと落ちます。

巻きつけた銅線から釘を抜いても電磁石になるでしょうか？　方位磁石を近づけてみて確認しましょう。

こんな実験もいかが？

もっと長い銅線を釘に巻きつけてみて、電磁石の力がどう変化するのかを見てみましょう。くっつくペーパークリップの数が変わりますか？

金属ゴミを拾い上げるマグネットクレーン

風船の天びん

空気にも重さがあるんだよ

用意するもの

- ☑ 同じ風船を2個
- ☑ 30センチぐらいのタコ糸を3本
- ☑ 長くて細い木の棒
  （たけひごでもOKです）
- ☑ 針

学習のめあて

空気にも重さがある

所要時間

15分

手順

1

風船をふくらませ、口をひねって閉じます。

2

口に糸を結びつけます。

3

もうひとつの風船にも同じことをします。風船の大きさは同じになるようにしてください。

両方の糸の端を輪っかにして、木の棒に通します。

3本目の糸を木の棒の真ん中に結んで、ふたつの風船のバランスを取ります。

片方の風船の口の近くに、破裂させないように慎重に針を刺してください。

風船の空気が抜けていっても、バランスは保たれたままですか？

?

片方の風船は口の近くに針を刺して、もう片方は横に針を刺してみましょう。すると、バランスはどうなりますか？

どうしてこうなるの？

空気のなかには“何もない”というわけではありません。空気のなかには酸素や窒素を中心とした、さまざまな気体の分子があるのです。同じ容積の空気と木材をくらべると、空気に含まれる分子のほうがずっとずっと少ないのはたしかですが、ゼロというわけではありません。そして分子には重さがあります。なので風船から空気が抜けると、ふくらんだ状態よりも抜けた空気のぶんだけ軽くなるのです。地球の大気圏全体の空気の重さは相当なもので、なんと1センチ四方に1キロの力がかかっています。それぐらいの圧力を、人間は全身に受けているのです！

さらにもうワンポイント

風船のなかの空気の温度が周囲の空気よりも高いと、風船は浮かんでいきます。それはつまり、暖かい空気は軽いということなのでしょうか？　ちょっとちがいます。空気を暖めると密度が下がって、そのせいで軽くなるのです。空気は暖められると膨張します。熱気球のガスバーナーに火を点けると、気球のなかの空気が暖められて膨張し、口からどんどん出ていきます。出れば出るほどなかの空気の量は減って、軽くなります。そして風船のなかの空気の重さがまわりの空気よりも軽くなって、どんどん浮いていきます。その反対に、風船のなかに空気を入れていくと、風船は下がっていきます。そうやって熱気球は上昇と降下を調節するのです。

こんな実験もいかが？

人間の吐く息には空気より重い二酸化炭素が多く含まれているので、それが今回の実験に影響を与えているかもしれません。ポンプを使って風船をふくらませてたしかめてみましょう。ペットボトルのような密閉された容器のなかの空気の温度を変えたら、どうなるでしょうか？キャップをした空のペットボトルを5分間冷凍庫に入れてたしかめてみましょう。つぎに、キャップをしていない空のペットボトルを5分間冷凍庫に入れたあとにつぶして、それからキャップをして陽射しのなかに置きます。ペットボトルのなかの空気は膨張して、ボトル自体もふくらみます。気体の圧力と密度と温度は全部関係しているのです。

熱気球のなかの空気を暖めると、空気の密度が下がって浮いていきます

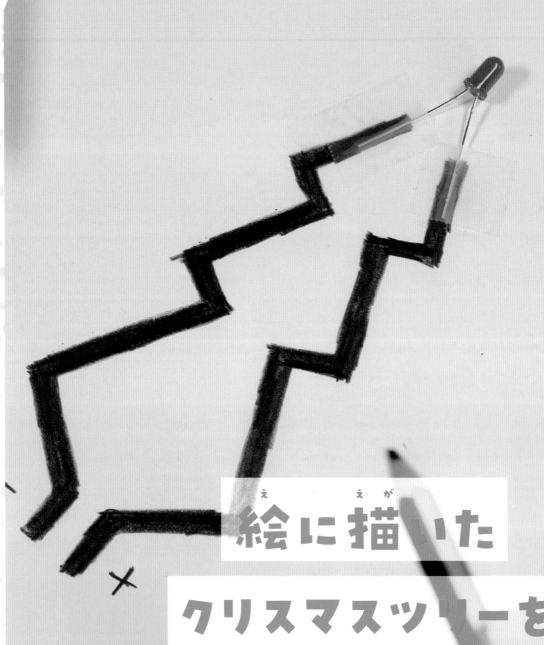

絵に描いた
クリスマスツリーを
灯してみよう

電気が通る絵って?

用意するもの

- ☑ 6B ぐらいの芯がやわらかいエンピツ
- ☑ A4サイズの紙
- ☑ 9ボルトの電池
- ☑ 5ミリの発光ダイオード（LED）
- ☑ セロハンテープ

学習のめあて

エンピツのなかの黒鉛は
電気を通す

所要時間

15分

手順

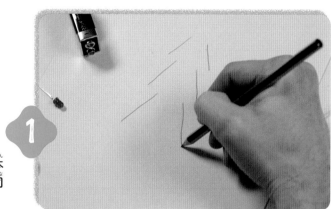

1

A4サイズの紙に、ずれたかたちの3本の平行線を引き、線対称になるように同じ3本の平行線を引きます。

2

平行線同士をつないで、てっぺんと下が欠けたクリスマスツリーのようなかたちにします。"幹"の幅は、9ボルトの電池の電極がちょうど当たるようにしてください（だいたい1センチです）。

線をもっと太くします。

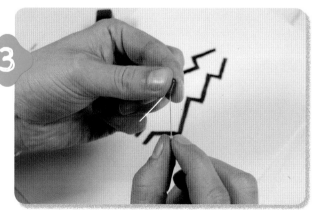

3

線がてかてかとした黒になるように何度も何度もなぞります。

LEDの"足"の部分を開いて、クリスマスツリーのてっぺんの欠けた部分に当たるようにします。

4

LEDの足をクリスマスツリーのてっぺんにセロハンテープで貼りつけます。足がちゃんとエンピツで描いた線に当たるようにしてください。LEDの2本の足の長いほうは〈+〉、短いほうは〈-〉です。それぞれの足を貼りつけた線の一番下に〈+〉と〈-〉の印を書いておきます。

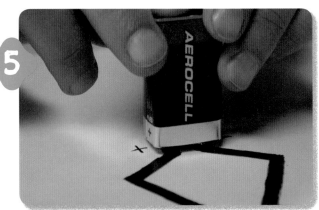

5

9ボルトの電池のふたつの電極の〈+〉と〈-〉を確認しておきます。

クリスマスツリーの下に、〈+〉と〈-〉がちゃんと合うように9ボルトの電池の電極を押し当てます。

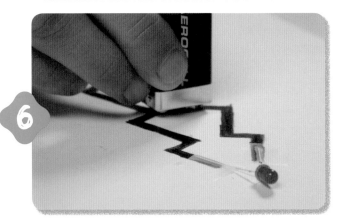

6

LEDは点きましたか？　つぎにクリスマスツリーの"幹"の上のほうに電極を当てると、LEDの光はどうなりますか？

7

部屋を暗くすると、LEDの光がもっとよくわかります。

どうしてこうなるの？

　LEDを光らせる電気は、導電性物質という電気を通すものをつたってLEDに届きます。電気製品では金属、とくに銅が導電性物質として使われています。エンピツの芯は黒鉛でできていますが、この黒鉛も電気を通します。でも黒鉛は銅などの金属ほどには電気を通さないので、LEDはそんなに明るく光りません。LEDは1.8ボルトの電圧があれば光るのですが、黒鉛はあまり電気を通さないので、9ボルトの電池を使ってもそれほど光らないのです。電池をクリスマスツリーの幹の上のほうに当てると、下に当てたときよりLEDの光は明るくなります。これは、電気が流れる距離が短くなるからです。距離が長いと、その途中で電気がもれてしまうのです。

さらにもうワンポイント

　黒鉛もダイヤモンドもどちらも炭素原子だけでできていますが、黒鉛は電気を通すのにダイヤモンドは通しません（電気を通さない物質を絶縁体と言います）。同じ炭素だけでできているのに、電気を通したり通さなかったりするのはどうしてでしょう？　その答えは、炭素原子の組み立て方のちがいにあります。電気は、物質を構成する原子のなかの電子という素粒子が原子から飛び出して伝えていきます。下の図（左）にあるように、黒鉛の炭素原子は1枚の紙のようにくっつき合っています。電子はこの炭素原子の紙の上を自由に動きまわることができます。でもダイヤモンドの炭素原子は立体的にくっつき合っているので、電子はこの"ジャングルジム"を登ることができません。

こんな実験もいかが？

　クリスマスツリーだけではなく、好きな絵を描いてみましょう。怪獣の目や車のヘッドライトもオススメです。

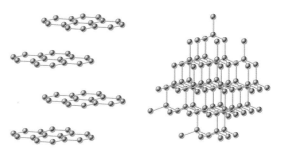

黒鉛の炭素原子は平らに（左）
ダイヤモンドの炭素原子は立体状に（右）
くっつき合っています

？

　電気を通しそうなものは、ほかにも家のなかにありませんか？　電池とLEDを使って調べてみましょう。

ずっとこっちを見てるよ！

どこから見ても、自分が自分を見つめてる？

用意するもの

- ☑ カメラ（自撮り用）
- ☑ A4の紙が出力できるプリンター
- ☑ ハサミとセロハンテープ
- ☑ 両面テープ
- ☑ 黒い台紙

学習のめあて

目の錯覚は
どうして起こるのか

所要時間

20
分

手順

1

顔の写真を撮ります。できるだけ真正面から撮ってください。

実寸大になるようにプリントアウトして、顔の輪郭にそってハサミで切り抜きます。

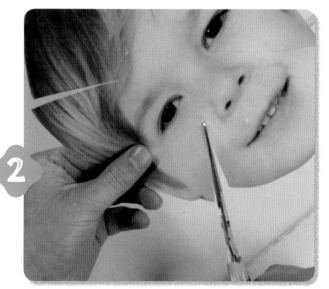

2

写真のように、顔の四隅に切り込みを入れます。

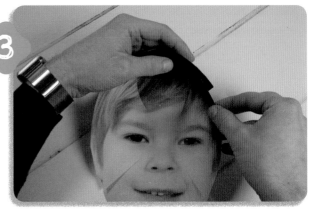

4つの切り込みを少しだけ重ね合わせて裏をセロハンテープで留めて、顔をボウルのようにします。

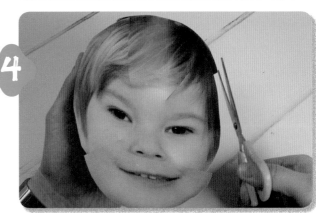

重なった部分をハサミで切りそろえます。

両面テープで台紙に貼りつけます。

貼りつけた顔をいろいろな角度から見てください。どんなふうに見えますか？

本当はへこんでいるのに、3D写真のように出っ張って見えませんか？

この目の錯覚は、目は「こう見えてるよ」と脳に伝えているのに、その脳のほうは「いつも見てるやつでしょ」と勝手に思いこんでしまうことで起きます。顔のかたちや影から、写真の顔がへこんでいることはわかります。でも実際の顔は出っ張っていますし、普段ならそう見えます。だから脳は、顔は「こう見えて当たりまえ」だと解釈するのです。

半分水を注いだコップにエンピツを入れて、横から見てください。エンピツは折れているように見えますか？

こんな実験もいかが？

大雪が降ったとき、顔をゆっくりと雪に押しつけて、できるだけ正確な顔の型を取ってみてください（冷たいので無理はしないように！）。やっぱりこれも出っ張っているように見えますか？

17世紀のオランダの画家フランス・ハルスの『微笑む騎士』のように、どの角度から見ても絵のなかの人物が自分のほうを見つめているように見える肖像画があります。目の錯覚をうまく利用して描いたという説がありますが、本当は、正面をまっすぐ見つめる肖像画ならどれでもそう見えてしまうのです。光と影のコントラストが強い肖像画ほどそう見えます。実際の人間の顔をいろいろな角度から見てみると、角度によって影の見え方が変わります。わずかな変化ですが、それでも脳は相手との位置が変わったことを認識できます。でも肖像画に描かれている影はどの角度から見ても変わることはありません。当たりまえですよね。なので脳は、影が動いてないからずっと真正面から見ていると認識してしまうのです。

フランス・ハルスの『微笑む騎士』は、どんな角度から見てもこっちを見つめているように見えます

風船で蛍光灯を点けてみよう

風船と髪の毛があれば電気は必要なし?

用意するもの

- ☑ 風船（ふうせん）
- ☑ お子さん（の髪の毛）（こ）（かみ）（け）
- ☑ 蛍光灯（けいこうとう）

学習のめあて

静電気の作り方（せいでんき）（つく）（かた）

所要時間（しょようじかん）

5分（ふん）

手順（てじゅん）

1

風船（ふうせん）をふくらませて……

2

……お子さんの頭に30秒間こすりつけます。風船を頭から離すと、髪の毛がくっついてきます。（こ）（あたま）（びょうかん）（ふうせん）（あたま）（はな）（かみ）（け）

その風船を蛍光灯に近づけると……

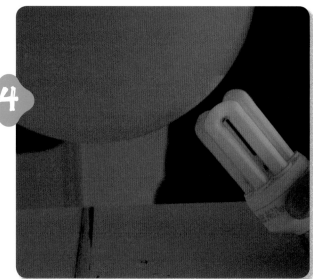

……一瞬だけ点滅します。部屋を暗くしたら、もっとよくわかりますよ。

カーペットの上を歩いたあとに金属に触れると、パチッと火花が飛んだように感じたことはありませんか？　どうしてそうなるのでしょう？

すべての物質は原子で構成されています。その原子は原子核と、マイナスの電気（電荷）を帯びている電子でできています。風船でこすると、髪の毛（ウールセーターでもいいです）のなかの電子が弾き飛ばされ、風船に集まっていきます。これが静電気です。一方、蛍光灯のなかには水銀ガスが入っています。その水銀ガスの原子に電子をぶつけると紫外線が発生します。紫外線は目に見えない光ですが、蛍光灯の内側に塗ってある蛍光物質に当たると目に見える光に変わり、蛍光灯は光ります。これと同じことが、静電気を溜めた風船を蛍光灯に近づけると起こります。でも風船は正の電荷を帯びた粒子をあっという間に引き寄せて静電気を中和してしまうため、一瞬しか光りません。

コハクをこするとホコリを引き寄せることは太古の昔から知られていました。ちなみに古代ギリシアではコハクは〈エレクトロン〉と呼ばれていましたが、これが〈エレクトリシティ（電気）〉の語源です。電気を安定して供給してくれる蓄電池が19世紀半ばに発明されるまで、科学者たちは静電気を使って電気の研究をしていました。彼らは車輪や球体を手で回して金属片にこすりつけて静電気を大量に発生させる静電発電機というものを発明しました。

物質同士がこすれて発生する静電気は、ものすごい量の電気を生み出すことができます。たとえばカミナリは、雲のなかの氷の粒が激しくぶつかり合ってこすれて生じた静電気が溜まり、それが地上に向かって放たれる現象です。

こんな実験もいかが？

静電気はいろいろなものに溜めることができます。そして静電気を溜めたものを、蛇口からちょろちょろと流れ落ちる水に近づけて、どんなことが起こるか見てみましょう。

細かくちぎった紙をテーブルの上にまいて、静電気を溜めた風船を近づけると、どんなことが起こるでしょう？

カミナリは雷雲のなかに溜まった静電気が地上に向かって放たれる現象

コップで密度を調べてみよう

調べてみよう

何が浮かんで何が沈む？

用意するもの

- ☑ タンブラーグラス
- ☑ ハチミツ（シロップでも OK）
- ☑ 食用油
- ☑ 水と食品着色料
- ☑ ビー玉、ブドウの粒、レゴ® ブロック、発泡スチロール

学習のめあて

密度のちがい

手順

1 タンブラーグラスの3分の1まで水を注いで、食品着色料を混ぜます（青がおススメ）。

2 ハチミツかシロップをゆっくりと注ぎます。すると水とは混ざらないでタンブラーグラスの底に沈みます。これもグラスの3分の1まで注ぎます。

3 食用油もゆっくりと注ぐと、水の上に層になります。

用意したものをひとつずつグラスに入れます。最初はビー玉です。底までストンと沈みます。

つぎはブドウの粒です。水の層の底まで沈んで、ハチミツ（シロップ）の層に浮かびます。

3つめはレゴ® ブロックです。食用油と水のあいだに浮かびます。

最後は発泡スチロールです。油の上に浮かびます。

密度とは“一定量の物質の重さ”のことです。たとえばコップ1杯の量でくらべると、ハチミツは水よりも重くて、食用油は水よりも軽いです。なのでタンブラーグラスにこの順番で3つの層ができるのです。固体もそれぞれに密度がちがいます。ビー玉はハチミツより密度が高いのでグラスの底に沈みます。ブドウの粒の密度は水よりも高くてハチミツよりも低いので、ふたつの層の真ん中に浮かびます。レゴ® ブロックの場合は水より低くて食用油よりも高く、そして発泡スチロールは全部のなかで一番低いので油に浮きます。

物質の密度は変えることができます。金属でもガラスでも油でも、ほとんどの物質は温度によって密度が変わります。温度を上げると物質は膨張して、そのぶん密度は低くなります。その反対もしかりです。水だって同じです。水は4℃のときが一番密度が高くて、温めたり冷やしたりすると密度も上下します。だから氷は水に浮くのです。それはつまり、4℃の水はそれよりも冷たい水の下に沈むということです。湖の場合、水の温度は底のほうがすこし高いです。だから厳しい冬に湖は水面から凍っていきます。そして水面に張った氷が断熱材のようにはたらいて、底のほうの水が熱を失って凍結するのを防いでくれます。なので凍った湖の下では、魚は凍ることなく生きていけるのです。

？

水よりも密度が高いもの、低いものは何？この実験に使ったものの密度を調べてリストを作ってみましょう。

水は4℃のときが一番密度が高いので、湖の底のほうが水温が高くなります。なので湖の氷は水面から凍っていきます

こんな実験もいかが？

水の密度は温度だけではなく塩でも変わります。ふたつのコップに水を注いで、片方に塩を小さじ山もり2杯入れてよくかき混ぜます。そしてそれぞれのコップに生卵をそっと入れてみてください。水の場合は、卵のほうが密度が高いので沈みます。でも塩を入れると水のほうが密度が高くなるので、卵は浮きます。

家族で盛り上がる実験

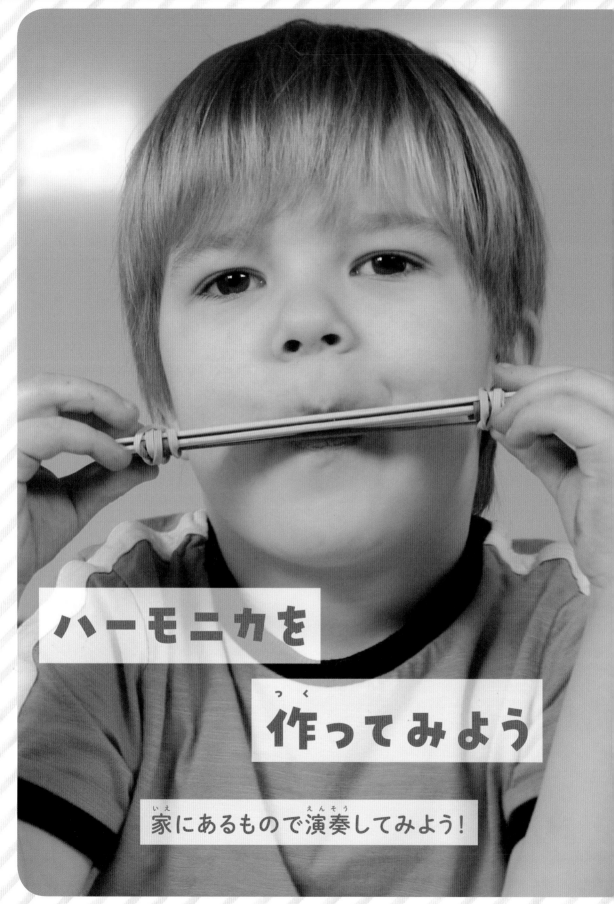

ハーモニカを作ってみよう

家にあるもので演奏してみよう！

用意するもの

- ☑ 棒アイス用の木の棒2本
  （なるべく幅のあるもの）
- ☑ 輪ゴム5本
- ☑ お好みのマスキングテープ

学習のめあて

音は空気の振動で生まれる

所要時間

20 分

手順

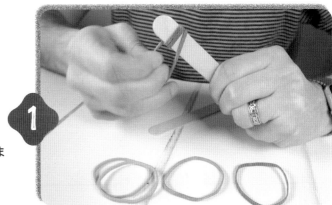

1

木の棒の端に輪ゴムを1本巻きつけます。

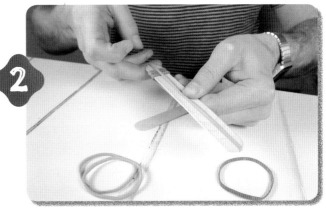

2

輪ゴムを伸ばして1の棒の端から端まで縦にひっかけます。

3

先に輪ゴムを巻かなかったほうの端に輪ゴムを巻きつけます。

もう1本の木の棒を重ね合わせます。

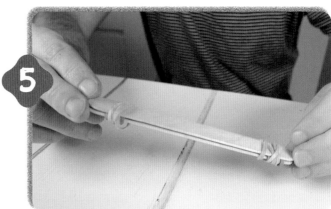

両端に輪ゴムを巻きつけて、2本の木の棒をしっかりと固定します。

お好みのマスキングテープで飾ってみましょう。口に触れるものなので、塗料で飾るのはやめておきましょう。

これでハーモニカのできあがり！ 木の棒のあいだに息を吹きこんでみましょう。どんな音が出るかな？

家にあるもので、ほかにも楽器を作ってみましょう。

どうしてこうなるの？

　楽器はどこかの部分が振動します。その振動が楽器のまわりの空気も振動させ、さざ波のように広がっていきます。その波が人間の耳のなかにある鼓膜を震わせ、脳が音として認識します。振動する部分は楽器それぞれでちがいます。ギターとピアノは弦を弾いたり叩いたりして振動させます。ハーモニカやサックスやクラリネットはリードという薄くて平らな板に息を吹きかけて振動させます。この実験で作ったハーモニカは、縦にかけた輪ゴムがリードになっています。両端に巻きつけた輪ゴムが作るすき間に息を吹きこむと、なかにある縦の輪ゴムが振動して音を出します。両手の親指ではさんだ葉っぱに息を吹きかけて鳴らす草笛と同じ理屈です。

さらにもうワンポイント

　音の高さは振動の速さ、つまり1秒間に振動する回数で決まります。ピアノが出す一番低い音では、弦は1秒間に16回振動しますが、一番高い音は8000回振動します。振動する速さはいろいろな要素で変わります。そのひとつが振動するものの重さです。ピアノやギターで低い音を出す弦は太くて重く、細い弦は細くて軽い音を出します。でも同じ太さの弦でも、どれだけきつく張られているかで音の高低は変わります。ギターやバイオリンは、チューニングペグに巻きつけた弦を伸ばして音を高くしていきます。

両手の親指ではさんだ葉っぱに息を吹きかけて鳴らす草笛

ギターは弦が振動して音を出します

こんな実験もいかが？

　ハーモニカの縦の輪ゴムを小さいものにしてみましょう。小さい輪ゴムは引っかけるときにもっと伸ばさなければなりません。すると、どんな音になるでしょう？

紙のロケット発射！

プッと吹いて宇宙へGO！

☑ いろいろな色の幅が広い付箋
☑ エンピツ
☑ 曲がるストロー

ロケットは

どうやって飛ぶの？

15
分

手順

1

付箋のノリのついた面を上にして、ノリの反対側にエンピツを置きます。

2

付箋をエンピツに巻きつけます。最後まで巻きつけたらエンピツを抜きます。

付箋の筒の片側を折り曲げます。これが
紙のロケットになります。

ストローをL字形に曲げます。

ストローの短いほうに紙のロケットを差
しこんで……

プッっと息を吹きこんで発射！

紙のロケットはプッと吹きこんだ息に押されて飛んでいきます。付箋の筒の両端が開いていると、息を吹きこんでも抜けてしまいます。でも片方の端を折って閉じると、息はそこに当たってロケットを押します。だから飛ぶのです。

風船をふくらませると、なかの空気の圧力は高くなります。パンパンにふくらませたところで口を離すと高圧の空気が噴出して、風船はピュルピュルと音をたてて飛んでいきます。紙のロケットと風船は空気に押されて飛びますが、宇宙ロケットは空気よりもはるかに強力なロケット燃料を使って飛びます。ロケット燃料は燃えやすい液体のものと固体のものがありますが、どちらも酸素を供給することでさらに燃えやすくする物質が入っています。酸素がなければ物質は燃えません。空気中に酸素はじゅうぶんにありますが、そこにさらに酸素を含んだ物質を供給して火を点けて燃やすと、ものすごい量のガスが発生してロケットの端から噴出し、風船の口から出る空気のようにロケットを押し出します。こんなロケットは家のなかでは飛ばせませんよね！

NASAのスペースシャトルは、後方の排気口からロケット燃料の燃料ガスを放出して離陸します

こんな実験もいかが？

紙のロケットに窓などの絵を描いてみたり、羽根をつけたり、先端をとがらせたりしてみましょう。

息を吹きこんだら飛ぶものをほかにもさがしてみましょう。

バッグを持ち上げてみよう

パーティーバルーンでグングン上げろ！

用意するもの

☑ ヘリウム入りのパーティー用風船を
　 15個ぐらい
☑ 紙のショッピングバッグ

学習のめあて

浮力の法則について知る

所要時間

20分

手順

今回の実験は、風船を使ってショッピングバッグを空中に浮かせるだけです。天井の高い部屋のほうが好ましいですが、家の外ではやらないでください。まずはお子さんに風船を持ってもらい、上に引っ張る力を感じてもらいます。何個ぐらいの風船をつければショッピングバッグは浮かぶでしょうか？

ショッピングバッグの取っ手に風船をひとつずつ結びつけていきましょう。

まだまだ浮かびませんか？

まだかな？

もう少し……いや、まだまだ！

やっと浮かんだ！

ショッピングバッグの重さとお子さんの体重をくらべて、お子さんを空中に浮かべるためには何個の風船が必要になるか計算してみましょう。

p.44「風船の天びん」の実験を、空気入りの風船とヘリウム入りの風船で比べてやってみてください。バランスをとることはできるでしょうか？

こんな実験もいかが？

風船の大きさが全部同じなら、ショッピングバッグを空中に浮かべるために必要だった風船の数でショッピングバッグの重さを割れば、風船ひとつあたりの浮力がわかります。ひとつの風船の"ものを持ち上げる力"がわかれば、ショッピングバッグに何か軽いものを入れて空中に浮かべたいとき、あと何個の風船が必要になるのか予測することができます。実際にやってたしかめてみましょう。何が起こるのか予測して、実験でその予測が正しかったかどうかをたしかめることも科学実験の核のひとつです。

　ヘリウム入りの風船は浮かんで、空気入りの風船は浮かばないのはどうしてでしょう？　ぶっちゃけて言えば、ヘリウムのほうが空気より密度が低いからなのですが、それって実際にはどういうことなのでしょうか？　ここで重要なのは、風船のなかという一定量の気体の分子の数は、温度と気圧が同じならどんな気体でも同じだということです。ですが、ヘリウムの分子（ヘリウム原子だけでできています）の重さは、空気中の気体の分子（大部分は酸素と窒素です）よりも軽いのです。ヘリウムの分子の質量はごくごく小さいのですが、それでもゼロではないので重力に引っ張られます。でも空気のなかにある分子よりも質量は小さいので、重力は空気の分子のほうを強く引っ張ります。つまり空気はいつもヘリウムの下にくるということです。だからヘリウム入りの風船は空気に浮かぶのです。空気よりも軽い物質が空気よりも上に上がろうとする力のことを浮力といいます。ショッピングバッグを空中に浮かべようとすると、重力がバッグを下に引っ張ろうとするので、結びつける風船の浮力の総数をショッピングバッグの質量よりも大きくしなければならないということです。

　気球を空に飛ばす方法は、p.44「風船の天びん」で説明した熱気球以外にもあります。空気より軽いヘリウムは燃えないし人間に害を与えることもないので、気球を飛ばす気体としてはうってつけです。昔の気球は水素を使っていましたが、水素はとても燃えやすくて危険な気体です。1937年に巨大飛行船〈ヒンデンブルク〉が大爆発したのも、水素を使っていたからでした。ドイツからアメリカにやってきたとき、電気機器から飛んだ火花が〈ヒンデンブルク〉のなかの大量の水素を燃やしてしまったとされています。この事故以来、飛行船や気球に水素は使われなくなり、飛行船の時代も幕を閉じました。

1937年に大爆発を起こした水素飛行船〈ヒンデンブルク〉

芝生ハリネズミ

窓辺に置いて針を"育てよう"

- ☑ ボウル1杯のおがくず（ペットショップやホームセンターで売っています）
- ☑ 耐水のり
- ☑ 使い古しのストッキング
- ☑ 大小2個のボウル
- ☑ 半カップ分の芝生の種
- ☑ 動く目玉ボタン2個と普通のボタン1個
- ☑ 油性マーカーペンもしくはアクリル絵の具

かわいいハリネズミの作り方
と植物の育て方

30
分

手順

ストッキングの足首の部分を切り取って、さらにその上の50センチぐらいのところを切ります。

片端をきつく結びます。

ストッキングを裏返しにして、結び目が内側になるようにしてください。

口を広げて、小さいほうのボウルにかぶせます。

ストッキングのなかに芝生の種を入れて、その上におがくずを注ぎます。

ストッキングをボウルからはずして、中身のすぐ上のあたりでストッキングを結んで閉じます。

芝生の種が上になるようにしてテーブルに置いて、ハリネズミっぽいかたちにととのえます。

動く目玉ボタンを耐水のりでくっつけます。普通のボタンは鼻にします。

油性マーカーペンかアクリル絵の具でヒゲを描きます。のりが乾くまでしばらく待ちます。

大きなボウルに水を注いで、そのなかにハリネズミをひたします。

びょしょびしょになったハリネズミを皿の上に出して、皿ごと陽の当たる窓辺に置きます。

数日たつと、ストッキングを突き抜けて芝生が芽を出してくるはずです。毎日水やりをしてあげてくださいね。

どうしてこうなるの？

　この実験では、植物がどうやって育つのかを楽しく学びます。どうしたら種は芽を出しますか？　陽の当たらない戸棚のなかでも芽が出ますか？　このハリネズミを何匹か作って、水やりの量や置く場所を変えてみて、どうやったら一番よく"トゲ"が育つのかたしかめてみましょう。

植物が大きくなるために必要なものを3つあげてみましょう。

ハリネズミをどこに置いたら"トゲ"は一番よく育つでしょう？

こんな実験もいかが？

アクリル絵の具や油性マーカーペンで顔を描いて、いろんな動物を作ってみましょう。

さらにもうワンポイント

　わたしたち人間を含めた動物は食べたものからエネルギーを作って生きていますが、植物は日光をエネルギーに変えています。植物は、葉緑素という化学物質を使って日光のエネルギーを別のエネルギーに変え、空気のなかの二酸化炭素と水を組み合わせて炭水化物を作り、成長していきます（葉っぱが緑色なのはこの葉緑素のせいです）。この光合成というプロセスでは、植物にとって不要な酸素を発生させます。空気のなかの酸素は、ほとんど植物が生み出しているのです。植物は食物連鎖の一番下にいて、人間を含めた多くの生物に食べられています。でも植物はほかの生物を食べなくても大丈夫です。植物がなくなったら、地球の生物は死に絶えてしまうでしょう。

日光をエネルギーに変える光合成がすべての生命の源です

シャボン玉を
つかまえろ!

夢中になることまちがいなし!

- ☑ コップ
- ☑ 食器用洗剤少々
- ☑ 水100ミリリットル
- ☑ グリセリン小さじ1杯
- ☑ ストロー
- ☑ くつ下1足

シャボン玉を割らずに

つかまえる方法を知る

10 分

手順

コップに半分水を注いで、食器用洗剤を入れます。

そこにグリセリンを小さじ1杯入れてかき混ぜます。

ストローを浸して息を吹きかけてシャボン玉を作ってください。

お子さんにシャボン玉を手のひらでつかまえさせてみてください。たぶんはじけてしまうでしょう。

こんどは手にくつ下をはめてやってみてください。

くつ下を使ったらどうなりますか？

シャボン玉でお手玉もできますよ。

こんな実験もいかが？

石けん液で濡らした手でもシャボン玉をつかまえることができます。石けん液で濡らすと、手に石けん分子の層ができます。その層にシャボン玉がふれると、石けん分子はシャボン玉の表面の分子と融合して泡のドームができます。同じように、石けん液にひたした指をつっこんでもシャボン玉ははじけません。

どうしてこうなるの？

　くつ下だとシャボン玉がはじけない理由を理解するまえに、どうして手でふれたらはじけてしまうのかを学びましょう。風船と同じように、シャボン玉も表面に穴をあけるとポンッ！　とはじけます。シャボン玉の表面は石けんの分子の膜になっていて、その中身はほとんど水です。この膜は伸びちぢみするので、息を吹きこめば泡は大きくふくらみます。でも、この膜には紙のような“端”はありません。なので輪っかや何かの表面にくっついたり、ボールのかたちにまとまっていないと、たちまちはじけてしまいます。針金で作った輪っかを石けん液にひたしたら膜ができますが、輪っかの結び目をほどいたら、すぐに消えてしまいます。この石けんの膜はもろくて簡単にはじけますが、ものすごくやさしくさわれば大丈夫です。くつ下の繊維には目に見えないたくさんの小さな毛が突き出ていて、シャボン玉がくつ下にふれると、この小さな毛たちがシャボン玉を支えて、繊維のほかの部分にふれないようにするのです。小さな毛たちはシャボン玉の表面の数カ所をほんの少しへこませるだけなので、シャボン玉がはじけることはありません。

さらにもうワンポイント

　普通の水の表面にも、水の分子がくっつき合ってできている膜があります。この膜が表面張力という力を生み出します。コップに水をめいっぱい注ぐと、水はコップのふちからこぼれないで少しもりあがります。これは表面張力がはたらいているからです。この水の膜も、小さな小さな毛なら触れても穴を開けることはありません。アメンボやミズスマシのような昆虫は、この小さな毛を使って池や水たまりの上を歩くことができます。この昆虫たちは水に沈まないほど軽いのですが、小枝のように浮いているわけではありません。足に生えている小さな毛のおかげで足全体が水の膜にくっつかないので、スイスイと水の上を動くことができるのです。

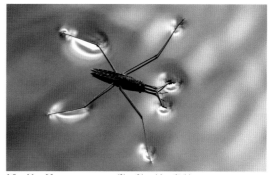

水の上を歩くアメンボ。6本の足の下の水面がくぼんでいることから、足が水の膜を破っていないことがわかります

　金属は水よりもずっと密度が高いので水に沈みます。ではここでチャレンジです！　金属製の小さなペーパークリップを水の上にそっと置いてみてください。どうなりますか？

シャボン玉のなかに入ってみよう

巨大なシャボン玉で包まれてしまおう!

用意するもの

- ☑ 水2リットル
- ☑ 液体洗剤600ミリリットル
- ☑ グリセリン小さじ1杯
- ☑ この3つを混ぜることができる 大きな容器
- ☑ 子ども用 ビニールプール
- ☑ フラフープ

学習のめあて

強大なチューブ状の

シャボン玉の作り方

所要時間

30
分

> **注意！** シャボン玉液は実験の前日までに作っておいてください。この実験は屋外でもできますが、その場合は風のない日を選んでください。

手順

1 水と液体洗剤を混ぜます。

2 グリセリンを1に入れて、よく混ぜてひと晩置きます。

3 屋外でおこなう場合は風が吹いていないか確認してから、ビニールプールをふくらませます。

前日に作っておいたシャボン液をプールに入れます。

フラフープをプールに入れて、シャボン
液にしっかりとひたします。

ゆっくりと慎重にフラフープを上げてい
くと、巨大な筒状のシャボン玉ができて
いきます！

お子さんがなかに入れるぐらい大きくし
てみましょう。でも、はじけたらビショ
ビショになるかもしれません。

こんな実験もいかが？

針金で大きな輪っかを作ってシャボ
ン液にひたして、軽く振ってみまし
ょう。大きなシャボン玉がふわふわ
と飛びますよ。きれいに飛ばすには
ちょっと慣れが必要です。

手でさわっていないのにシャボン玉が割れるのは、薄いシャボン液の膜の水が蒸発してしまうからです。そこでグリセリンのような水に混ざりやすいものをシャボン液に入れると、粘り気が出て蒸発しにくくなります。だから大きなシャボン玉を作ることができるのです。

どんな種類の石けんを使ってシャボン玉を作っても、普通は小さいまん丸のものがたくさんできます。これは、シャボン液の膜が球面を作るためには"エネルギー"が必要で、膜は必要最低限のエネルギーで球面を作ろうとするからです。では、大きなシャボン玉がまん丸にならないのはどうしてでしょう？　シャボン玉のなかの空気の圧力（気圧）は、シャボン玉の大きさで変わってきます。つまり小さなシャボン玉のなかの気圧は高くて大きなものの場合はまわりの気圧とあまり変わらないということです。そして大きなシャボン玉の膜はとても軟らかくて、簡単にかたちが崩れてしまいます。だからまん丸にならなくてぶよぶよとかたちを変えるのです。ちなみにふたつの輪っかを使って作るシャボンの筒の場合、面積が一番小さくなるのは筒状ではなく真ん中がくびれた懸垂面というかたちです。お子さんを入れる巨大なシャボンの筒も、こんな感じになっていますよ。

表面に虹色のパターンが見える巨大なシャボン玉。どうしてこんな色になると思いますか？

お風呂に浮かぶ泡が、輪っかを使って作るものとちがうのはなぜでしょう？

ふたつの輪っかを使って作るシャボンの筒は、真ん中がくびれた懸垂面というかたちになります

ゆらゆらお絵かき

何もしないで絵を描く装置を作ろう！

☑ 水　☑ 絵の具
☑ 1メートル50センチぐらいの長さの
　木の棒を3本、もしくはカメラの三脚
☑ 2メートルぐらいのひも
☑ 輪ゴム数本　☑ ビニール袋
☑ ペーパークリップ1個
☑ ペットボトル1個　☑ ハサミ
☑ A3かA2サイズの大きな白い紙

振り子を使って

カラフルな絵を描こう

40
分

手順

三脚を作ります。3本の木の棒の端のほうを輪ゴムでまとめて、反対の端を広げて地面に立てます。安定するように調整してください。

1

ペットボトルを半分に切って、上半分の切り口のふちに穴を3つあけます。その穴それぞれにひもを通して結び、ひもの端を結び合わせます。

2

曲げてフックのようにしたペーパークリップをひもの端に結びつけます。反対側の端は三脚の中心に結びつけます。

3

ペットボトルの口にビニール袋をかぶせます。袋の底の角がかならずペットボトルの口の真ん中にくるようにして、輪ゴムでしっかりと留めます。そして角をハサミでちょっと切り取って穴をあけます。

三脚の真下に紙を敷いて、紙の四隅に重しを置きます。

ペットボトルの底の3本のひもの端を、三脚から垂らしたペーパークリップのフックにひっかけます。ペットボトルがちゃんと揺れるかどうか確認してください。

絵の具を混ぜた水をペットボトルに注ぎます。ビニール袋の穴の部分をかならずつまんで、こぼれないようにしてください。

つまんでいる指を放して、ペットボトルをゆっくりと振ってください。絵の具を混ぜた水が紙にしたたり落ちます。

絵の具を混ぜた水が全部落ちたら、別の色でもためしてみましょう。

三脚から吊るされたペットボトルは振り子となって前後に揺れます。でも少しだけ回転させるようにして揺らせば、ペットボトルから落ちる絵の具はだ円を描きます。揺らす方向をいろいろと変えてみると、複雑できれいなパターンが描かれていきます。

振り子は一番簡単な科学実験の道具のひとつです。振り子を引っ張って手を放すと、重力によって一番下まで落ちていきますが、p.12「エッグタワーチャレンジ」で学んだ慣性の力がはたらいて一番下では止まらずに反対側まで上がっていきます。振り子が揺れる時間は、重さに関係なく同じです。振り子を吊るす糸が長くなればなるほど、一往復する時間は長くなります。この振り子の揺れは非常に正確なので、振り子時計に使われています。でも振り子を押さないと、そのうち揺れは止まってしまいます。

こんな実験もいかが？

絵の具を混ぜた水以外にも、細かい砂でためしてみてもいいでしょう。暑い日に三脚をコンクリートの床に置いて、水だけをペットボトルに入れて揺らしてみるのもいいですよ。

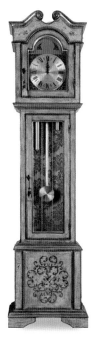

振り子が一定の時間で揺れることを利用した振り子時計

ペットボトルを吊るす糸の長さを変えてみましょう。絵はどんなふうに変わりますか？また、どうして変わるのでしょう？

コップを持ち上げよう

力を合わせるって、けっこう大変！

用意するもの

☑ 輪ゴム
☑ 同じ長さのモール針金4本
☑ 紙コップ

学習のめあて

力の合わせ方と、

素材のちがいと

摩擦の力の関係

所要時間

20
分

手順

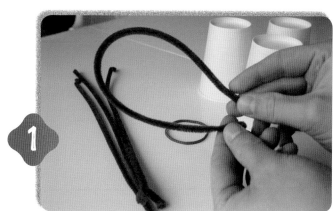

モール針金をそれぞれ半分に折ります。

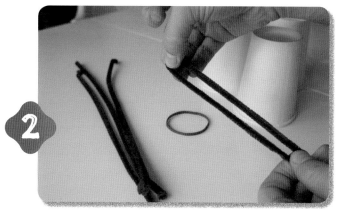

1で折った輪ゴムに4本のモール針金を
ひっかけます。

モール針金をよじって、4本足のクモのようにします。

これを使って紙コップを持ち上げてみましょう。ふたりでそれぞれ2本の"足"を引っ張って輪ゴムを伸ばし、ひっくり返して置いた紙コップをつかんで持ち上げます。

このやり方で、一番簡単に持ち上げられるものは何でしょう？　逆に一番むずかしいものは何でしょう？

こんどはこのやり方で紙コップをいくつか重ねてみましょう。引っ張ったり放したりを繰り返します。

どうしてこうなるの？

　この実験に説明なんて不要ですが、それでも思いのほか多くを学ぶことができます。輪ゴムをちゃんと伸ばすためには力を合わせなければならないこと、そして力の加減を調整しなければならないことを学ぶことができるのです。自分勝手にやっていたらうまくいきません。わかることはほかにもあります。輪ゴムは伸びちぢみしますが針金はそうではありません。輪ゴムの材料について学んでもいいでしょう。そして輪ゴムで紙コップをつかんで持ち上げたときに、紙コップがするっと下に落ちないのはどうしてなのか考えてみることもできます（その答えは摩擦力です）。

さらにもうワンポイント

　この手の作業を、わたしたち人間はごく自然にできるようになります。輪ゴムをちゃんと引っ張ることが意外とむずかしいことを、そしてどうやればいいのかを、2歳児でも理解します。でもロボットは、デリケートな物体をつかむことが苦手です。卵を手でつかむとき、指先と脳のあいだで繊細な情報のやり取りがおこなわれて、指先にかける力をどこで止めたらいいのか判断します。止めるのがはやすぎると、卵がすべり落ちないようにする摩擦が充分に生じません。逆に力をかける時間が長すぎると、卵は割れてしまいます。ロボットが初めて見るかたちのデリケートな物体を持ち上げるとき、手にかける力を調整する〈フィードバック制御〉が必要になります。とても軟らかいゴム状の素材をロボットの指先に当たる部分に使って、デリケートな物体をそっとつかんで持ち上げるという手もあります。

こんな実験もいかが？

　ふたりじゃなくて4人で、それぞれ針金の"足"を1本ずつ持って同じことをやってみましょう。

イチゴを潰さないようにつかむのはロボットにとってかなりむずかしいことです

においを
かぎ分けてみよう！

においだけでその食べ物が何だかわかるかな？

用意するもの

☑ フルーツ、パン、チョコレート、
　ニンニクなど、家にある少しだけ
　においがする食べもの
☑ 目かくし用の布

学習のめあて

- - - - - - - - - - - - - -
鼻の機能
- - - - - - - - - - - - - -

所要時間

20分

手順

家にある食べものを集めます。

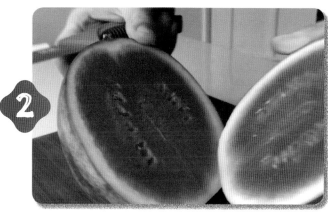

フルーツなら半分に切ってにおいを出します。

お子さんに目かくしをします。

いろいろな食べものをお子さんの鼻の下に持ってきて、いいにおいがするかどうかきいてみてください。その食べものが何だか当てることができるでしょうか？

その食べものが食べたらいけない危険なものなのか、においだけでわかるでしょうか？

あとで目かくしをはずして、どんな食べもののにおいだったのかを確認してみましょう。

郵便はがき

料金受取人払郵便

新宿局承認

1993

差出有効期限
2021年9月
30日まで

切手をはらずにお出し下さい

160-8791

343

東京都新宿区
新宿一ー二五ー一三
（受取人）

原書房
読者係
行

160 8791 343

7

図書注文書 （当社刊行物のご注文にご利用下さい）

書　　名	本体価格	申込数
		部
		部
		部

お名前　　　　　　　　　　注文日　　年　　月　　日

ご連絡先電話番号　□自　宅　（　　　）
（※必ずご記入ください）　□勤務先　（　　　）

ご指定書店（地区　　　　）	（お買つけの書店名をご記入下さい）	帳	
書店名　　　　　書店（　　　店）		合	

5779
今日から理系思考!「お家にある材料」でおもしろ科学の実験図鑑

| 愛読者カード | セルゲイ・ウルバン 著 |

フリガナ
お名前　　　　　　　　　　　　　　　　　　　　　　男・女（　　歳）

ご住所　〒　　　－

市　　　　　　町
郡　　　　　　村
　　　　　　　　TEL　　　　　（　　　）
　　　　　　　　e-mail　　　　　　　　＠

ご職業　1 会社員　2 自営業　3 公務員　4 教育関係
　　　　5 学生　6 主婦　7 その他(　　　　　　　　　　　)

お買い求めのポイント

　　　　1 テーマに興味があった　2 内容がおもしろそうだった
　　　　3 タイトル　4 表紙デザイン　5 著者　6 帯の文句
　　　　7 広告を見て(新聞名・雑誌名　　　　　　　　　)
　　　　8 書評を読んで(新聞名・雑誌名　　　　　　　　　　)
　　　　9 その他(　　　　　　　　　)

お好きな本のジャンル

　　　　1 ミステリー・エンターテインメント
　　　　2 その他の小説・エッセイ　3 ノンフィクション
　　　　4 人文・歴史　その他(5 天声人語　6 軍事　7　　　　　　)

ご購読新聞雑誌

本書への感想、また読んでみたい作家、テーマなどございましたらお聞かせください。

どうしてこうなるの？

においは、においを放つ物体の分子が空気のなかを漂って鼻のなかに入り、内部の上にある嗅球にふれることで感じます。実際には脳が感じるのですが。においの分子がどのように脳に"読まれて"特定のにおいを感じるのかについては、たしかなことはまだわかっていません。それでもこの実験でわかるように、人間の嗅覚はそれなりに有能です。

さらにもうワンポイント

レモンやオレンジなどの柑橘類独特の香りは、皮に含まれるリモネンという油性の分子によるものです。このリモネンは食品の風味づけや香水や化粧品、ハンドソープなどの香りづけに使われています。リモネンには2種類があります。このふたつのリモネンは鏡像、つまり手袋の左右のようにちょっとだけちがいます。でもこのちょっとしたちがいだけで、ふたつのリモネンのにおいは大きくちがってきます。嗅球がにおい分子のごくわずかなちがいにどう反応しているのかは、いまだにわかっていません。

こんな実験もいかが？

嗅覚と味覚は密接な関係にあります。ためしに、目かくしをして鼻をつまんで、味だけで何を食べたか当ててみてください。どうです？　当てられますか？

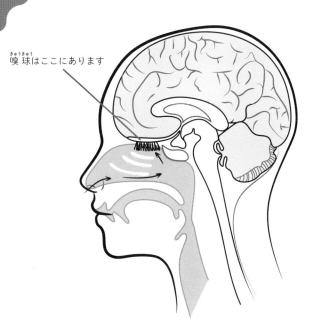

嗅球はここにあります

おもしろ釣りゲーム

釣り名人はだれだ？

用意するもの

- ☑ セロハンテープ
- ☑ いろいろな色のペーパークリップ
- ☑ 小さい磁石
- ☑ モール針金
- ☑ せんたくばさみ
- ☑ 子ども用のキャップ
- ☑ 小さなボウルかビン

学習のめあて

ゲームのルールを
考えてみよう！

所要時間

30分

手順

1 モール針金の片方の端を折り曲げて、磁石をはさみます。

2 モール針金をひねってセロハンテープで留めます。

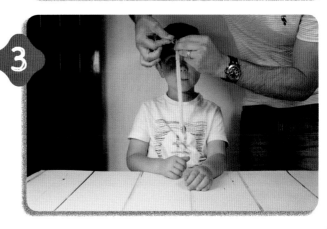

3 お子さんをイスに座ってもらって、キャップをかぶってもらいます。モール針金の磁石をつけていないほうの端を、せんたくばさみでキャップのつばにはさんで目のまえにたらします。

ペーパークリップをテーブルの上にばらまきます。

お子さんは頭だけを動かして、磁石でペーパークリップを釣り上げます。

釣った"えもの"は手ではずしてボウルに入れましょう。

つぎは難易度を上げて、いろんな色のペーパークリップをまいて、どれかひとつの色だけを釣り上げてみましょう。

頭を動かしたりうなずいたりするだけでいいこの磁石を使ったゲームは、お子さんたちが夢中になることまちがいなしです！　手ではなくて頭を動かしてペーパークリップを釣るところがこのゲームのポイントです。わたしたち人間は手を上手にあやつりますが、それは繊細な作業をするために手を発達させてきたからです。それにくらべて、頭は日常生活のなかでそんなに細かい動きをすることはありません。

家のなかでは、磁石はいろんなところに使われています。服やバッグの留め金はマグネット式のものがありますし、ドアファスナーにも使われていたりします。磁石はモーターのなかにもかくれています。つまりミキサーや掃除機やパソコンのなかにも磁石がありです。冷蔵庫のドアにメモやレシートを貼りつけておくマグネットは知っていても、そのドアのなかにも磁石があることをご存じですか？　ゴム状のパッキンのようなもののなかに磁石があるおかげで冷蔵庫のドアはぴっちりと閉じて、暖かい空気がなかに入らないようになっているのです。

？

磁石を使ったものは家のなかにどれだけありますか？　それが磁石を使っているのはどうしてでしょう？

こんな実験もいかが？

こんどはいろんなルールのゲームを考えてみましょう！　全部釣り上げるまでの時間を競ってもいいですし、それぞれの色のペーパークリップをひとつだけ釣り上げてみてもいいでしょう。同じ色のクリップをふたつ以上釣り上げてしまったら最初からやり直し、というルールにしてもいいでしょう。

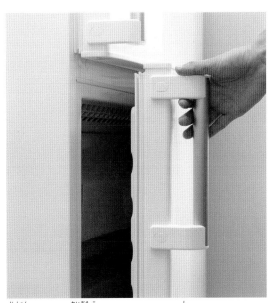

磁石のおかげで冷蔵庫のドアはぴっちりと閉まります

ちょっとヤバい実験

ストローのスプリンクラー

暑い夏にうってつけの"ちょっとヤバい"実験

用意するもの

☑ 水を注いだコップ
☑ プラスティックのストロー
☑ 竹串
☑ セロハンテープとハサミ

学習のめあて

物体が回転すると、
中心から外に向かおうとする
力がはたらく

所要時間

15分

手順

ストローのちょうど真ん中に竹串を突き刺します。

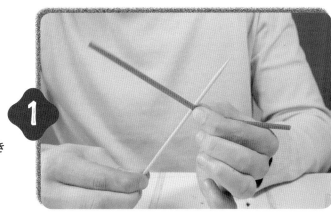

竹串を刺したところからそれぞれ3センチぐらいのところの両側に、同じ方向からハサミを入れて切れ目を作ります。切り落としてしまわないように注意しましょう。

両端を持ち上げて三角形を作ります。

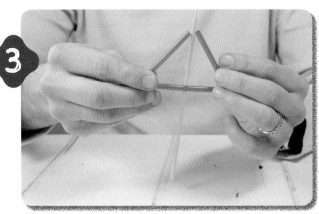

4

三角形の頂点をセロハンテープでくっつけます。ストローの口をふさがないようにしてください。

5

三角形の"スプリンクラー"の頂点だけをコップの水にひたして、竹串をくるくると回転させます。すると切れ目から水が飛びちります。

こんな実験もいかが？

水を入れたバケツの取っ手にひもを結びつけて回してみましょう。バケツが横になっても、水はこぼれることはありません。回転速度が上がると、水を外に押し出そうとする遠心力が、水を下に落とそうとする重力よりも強くなるからです。

どうしてこうなるの？

竹串を回転させると、三角形の頂点のふたつの口から入った水はストローのなかをのぼって切れ目から飛びちります。この水をのぼらせる力のことを遠心力と言います。遠心力とは、その言葉どおりに"中心から遠くに行く"ようにはたらく力です。陸上競技のハンマー投げは、ワイヤーにつけられたハンマーをぐるぐると回転させ、ある時点でワイヤーから手を放すと、ハンマーは遠心力で外に向かって飛んでいきます。

さらにもうワンポイント

軸を中心にして回転する物体は、遠心力がはたらいて外側に"逃げよう"とします。フィギュアスケートの選手やダンサーが回転するとスカートの裾が浮き上がって広がるのは遠心力のせいです。農業用の大きなスプリンクラーは、作物にまく水を遠心力で遠くまで飛ばします。

？ 遠心力を利用しているものがほかにも家にありますか？

フラメンコのダンサーが回転すると、スカートの裾が遠心力できれいに広がります

ハンマー投げは遠心力を利用した陸上競技

キッチンでクレーターを作ってみよう

どうして月は穴だらけなの?

用意するもの

- ☑ 小麦粉500グラム程度
- ☑ ココアパウダー 50グラム程度
- ☑ ケーキのデコレーション用の
  粒チョコレート
- ☑ いろんなかたちや大きさの小石
- ☑ ケーキやパイの焼き皿（深めのもの）
- ☑ スプーン
- ☑ ふるい

学習のめあて

月のクレーターは

どうやってできた？

所要時間

15分

手順

1 焼き皿に小麦粉を2センチぐらい入れます。

2 小麦粉の表面をスプーンでならします。

3 粒チョコレートをちらします。

その上からふるいを使ってココアパウダーを振りかけます。

頭ぐらいの高さから、焼き皿めがけて小石をひとつずつ落とします。

小石を取りのぞくと、クレーターと吹き飛ばされた"土"と"岩石"があとに残ります。

いろんなかたちや大きさの小石を落としてみて、どんなクレーターができるのかたしかめてみましょう。

こんな実験もいかが？

小石を落とす高さや、角度を変えて落としてみましょう。どんなちがいがありますか？

？

落ちてきた隕石が小さくても大きなクレーターができます。どうしてでしょう？

四角いかたちの隕石が月に落ちたら、どんなかたちのクレーターができるでしょうか？

小麦粉が液体のように"飛びちる"のは、考えてみればちょっと不思議ですよね。この実験でできるクレーターは、地球や月に隕石がぶつかってできたクレーターと少し似ています。隕石が地面にぶつかるとものすごいエネルギーが発生して、土や岩石は液体のように溶けて飛びちってしまいます。大昔に地球に落ちてきた隕石により溶けて飛びちり、冷えて固まった土や岩石はテクタイトとよばれていて、隕石が落ちた場所から何百キロもはなれたところで見つかることもあります。

6600万年まえに落ちてきた巨大な隕石が地球の環境と気候に壊滅的な変化をもたらして、それが原因で恐竜は絶滅したという説があります。隕石がぶつかったせいで生じた熱は大規模な山火事を引き起こしました。まきあげられた細かいちりは日光をさえぎり、多くの植物の成長をさまたげ、世界全体を寒くしました。この隕石だけで恐竜が絶滅したのか、もともと原因のひとつだったのかについてはまだ明らかになっていません。巨大隕石が恐竜を滅ぼしたという説は1980年にとなえられました。10年後、その隕石が作ったと思われるクレーターがメキシコのユカタン半島の近くで発見されました。そのクレーターは直径が180キロもあり、落ちてきた隕石は直径が10キロほどだったと考えられています。

巨大な隕石が地球に衝突したエネルギーで溶けた岩石が冷えて固まったテクタイト

約5万年まえに地球に落ちてきた隕石が作ったとされるアメリカのアリゾナ州のクレーター

6600万年まえに恐竜を全滅させたとされる巨大な隕石が落ちた場所。その当時は、大陸は現在とちがう位置にありました

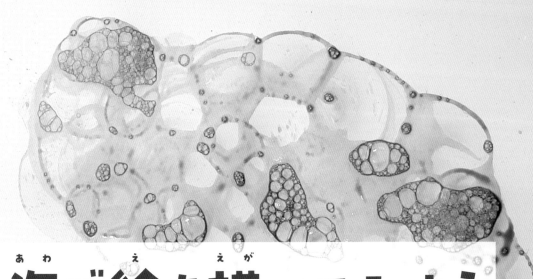

泡で絵を描いてみよう

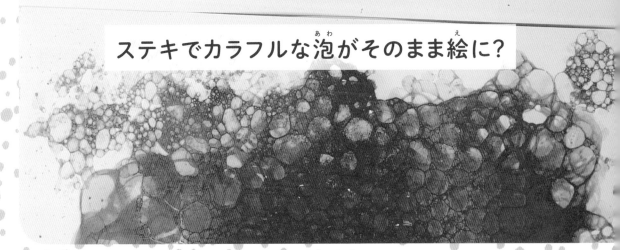

ステキでカラフルな泡がそのまま絵に？

☑ 食品着色料
☑ 液体洗剤
☑ 水
☑ ストロー
☑ 大きなプラスティックのコップ
　（1色ごとに1個）
☑ 白い紙

泡の特徴を知る

25
分

手順

色のついた水が飛びちってもいいよう
に、テーブルにカバーをかけます。
（3色の場合は）3つのコップに液体洗剤
をそれぞれ1センチぐらい入れます。

それぞれのコップに水を少々加えます。

それぞれのコップに食品着色料を充分に
加えて、ストローでよくかき混ぜます。

ストローで息を吹きこみ、コップの中身を泡立てます。泡がコップからあふれるぐらいたくさん息を吹きこみましょう。

白い紙をコップの上に置いて、泡を写し取ります。

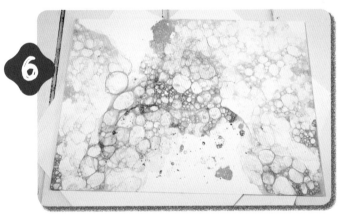

どんどん写し取っていきましょう。

紙の上でコップをかたむけてストローで息を吹きかけ、泡を紙にこぼして写し取るという方法もためしてみましょう。

泡はとてもとても薄い水の膜でできています。その膜がはじけないようにしているのは、なかに入っている石けん（洗剤）です。石けんの分子は、水の膜の表と裏の両方に"皮"のようなものを作ります。石けん水に色をつけると、色は"皮"に集まり、それが紙にふれるとそのあとが残るのです。

?

泡を写し取った絵から、どんなかたちやパターンがわかりますか？

写し取った泡の模様を、お子さんといっしょによく見てみてください。泡同士がくっついていたところに線ができているのがわかりますか？　普通、泡がくっつき合ってい壁が3本の線を作っていて、そこがメルセデス・ベンツのエンブレムのように見えます。泡には3つがいっしょになってくっつくという性質があります。4つ以上の泡の壁がいっしょにくっつき合っているところはなかなか見つからないと思います。たまたま4つがいっしょになっても、すぐに動いて3つに並び直します。これが泡にとっては"一番落ち着く"状態なのです。

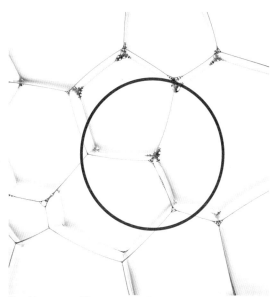

泡の壁は3つより多くはくっつき合いません

こんな実験もいかが？

泡を写し取った絵をもとにして、エンピツやボールペンを使って怪獣や虫、部屋がたくさんある家を描いてみましょう。

この泡の模様の絵を使ってグリーティングカードを作ってみてもいいでしょう。

変幻自在のスライムを作ってみよう

ネバネバ？　サラサラ？　いったいどっち？

用意するもの
- ☑ コーンスターチまたは片栗粉2カップ
- ☑ 水1カップ
- ☑ 大きなボウル

学習のめあて

力の入れ方で液体にも

個体にもなる物質が

あることを学ぶ

所要時間

25 分

手順

1

コーンスターチと水をボウルに入れます。食品着色料を入れてカラフルにしてもいいでしょう。

2

手でこねます。硬く感じるようなら、水を少し加えます。

できたものを手ですくい取って、てばやくこねたり握ったりすると、粘土のようにくっつき合います。でもそのままにしておくと、すぐに液体のようになって指のすき間から落ちていきます。こんなヘンテコな状態のものはウーブレックと言います。

このウーブレックで一杯にしたプールに飛びこんだら、どうなると思います？　泳げるでしょうか？

ボウルのなかのウーブレックにすばやく指を突き刺してみると、ゴムをつついたみたいにはじかれて、指は汚れません。でもゆっくりと差しこんでみると、指はずぶずぶとはまりこんでしまいます。

お子さんにいろいろと遊ばせてあげてください。もちろん、しっちゃかめっちゃかになる覚悟が必要です。

どうしてこうなるの？

ウーブレックは〈ダイラタンシー現象〉の例のひとつです。この現象では、物質はかき混ぜると粘度が高くなります。なぜかと言えば、圧力を受けるとコーンスターチの粒子がくっつき合うからです。でもゆっくりとかき混ぜると、粒子同士は逃げてしまいます。逆にはやくかき混ぜると、人混みのなかを急いですり抜けようとするとだれかにぶつかってしまうようにくっつき合ってしまいます。ウーブレックは昔からなじみのあるものです。料理のとろみづけに使うコーンスターチや片栗粉、そして粉末カスタードはとてもおいしいウーブレックになります。今でも科学者たちはこの物質の粒子の動きを研究しつづけています。

さらにもうワンポイント

ウーブレックは〈非ニュートン流体〉と呼ばれるもののひとつです。この名前は万有引力を発見したアイザック・ニュートンに由来しています。ニュートンは液体の動きの研究もしていて、普通の液体は動かないときも流れているときもその粘度は変わらないことを発見しました。水はそうですよね。そんな普通の液体のことを〈ニュートン流体〉と言います。しかし非ニュートン流体は、かき混ぜて動かしたりすると粘度が変わります。ケチャップやマヨネーズなどは、はやく動かすと粘度が低くなります。ウーブレックはその反対に、はやく動かすと粘度が高くなります。この変化は重要です。砂を多く含む土地は、非ニュートン流体のようになることがあります。地震が起こったときに発生する液状化現象がそれにあたります。地面が液状化すると建物のしっかりとした基礎がとつぜん崩れてしまいます。

こんな実験もいかが？

ウーブレックをのせた皿をスピーカーの上に置いて、音楽を流してみましょう。ウーブレックはどうなりますか？

2011年にニュージーランドのクライストチャーチで地震が起こったときに発生した液状化現象

魔法のコップ

入れても入れても一杯にならない不思議なコップ

用意するもの

- [x] 食品着色料で色をつけた水
- [x] 粘土（シリコン粘土がベター）
- [x] 透明なプラスティックのコップ
- [x] 曲がるストロー
- [x] 広口のビン
- [x] 水差し

学習のめあて

サイフォンの原理を学ぶ

所要時間

25分

手順

1

カッターナイフなどでコップの底にストローを通す穴をあけます。

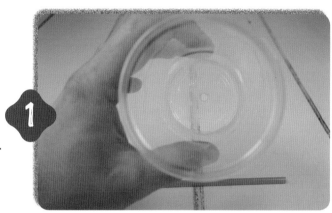

2

その穴にストローの上半分を通して折り曲げ、ストローの口がコップの底にふれるようにします。

3

穴のすき間を、コップの外側から粘土で埋めます。粘土はストローを固定する役割もはたします。

コップをビンの上に置き、ストローの下半分がビンのなかに入るようにします。

色をつけた水をコップに注ぎます。

水をどんどん注いでください。でも、ストローの折れ曲がったところの一番上まで入ると、こんどは水がストローの口から入って折れ曲がったところまで上がり、そのまま下のビンに落ちていきます。

水はコップが空っぽになるまで落ちていきます（ストローの口はコップの底にふれたままにしておいてください）。

どうしてこうなるの？

　この実験で作ったものはサイフォンと言います。コップのなかの水位がストローの曲がった部分より高くなると、ストローのなかの水は曲がった部分をこえて下のビンに落ちていきます。そしていったん流れ出すと、止まらずに流れつづけます。ストローのなかの水は重力に引っ張られて下に落ちていきますが、そのとき曲がった部分の水を引っ張り、さらにその先の水も引っ張るからです。ストローのなかの水の柱はとぎれることはありません。

さらにもうワンポイント

　サイフォンで空っぽになるコップは、古代ギリシアの哲学者ピタゴラスが発明したと言われています。ピタゴラスは、教え子たちがワインを飲みすぎないようにするためにこのコップを作ったそうです。"ピタゴラスのコップ"は、この実験で作ったコップとほとんど同じです。内側にはストローのように曲がって底のほうに口が開いた管があって、ワインをたくさん注ぐとサイフォンが作用してワインが全部床に落ちてしまいます。このコップはギリシアみやげになっていて、今でも売られています。

？

サイフォンの原理を使ったものが、ほかにも家にありますか？

こんな実験もいかが？

　水を上げる方法はサイフォン以外にもあります。5つのコップを並べて、左から1番めのコップに青、3番めに黄色、5番めに赤の水をそれぞれコップの真ん中まで注ぎます。つぎに、折りたたんだキッチンペーパーで水の入ったコップととなりのからのコップをまたぐようにたらして、その端が色のついた水にひたるようにします。30分ぐらいしたらどうなっていますか？　全部のコップに水が入っている場合は、それぞれのコップの水位にしるしをつけておいて、ひと晩たったあとに水の量がどう変わっているのか見てみましょう。

恐竜の卵の化石

かたい殻のなかから赤ちゃん恐竜を出せるかな？

用意するもの

- ☑ 恐竜のフィギュア
  （風船に入るほど小さいもの）
- ☑ 風船
- ☑ ハンマー
- ☑ 保護ゴーグル

学習のめあて

お子さんといっしょに
恐竜と化石、そして動物に
よって赤ちゃんの生まれ方が
ちがうことを学ぼう

所要時間

45分

注意！　前日に作って冷凍しておきます。

手順

1

風船の口を広げて、恐竜のフィギュアを慎重に入れます。とがったところで風船を破らないようにしてください。

2

フィギュアがなかに入った状態でふくらませてから空気を抜いてしぼませて、ゴムをやわらかくします。

風船の口を蛇口にはめて、水を入れてふくらませます。そして口を結びます。

3

これで恐竜の卵のできあがり！　何個か作ってみましょう。

冷凍庫にひと晩入れて凍らせます。

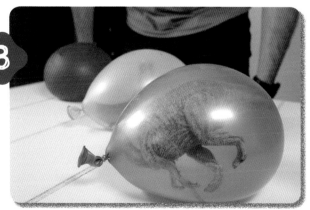

水が完全に凍ったら、風船を引きはがします。

お子さんに保護ゴーグルをつけて、ハンマーのあつかいに気をつけながら少しずつ氷をけずってなかの恐竜を出しましょう。屋外でやったほうがいいですね。

? 恐竜の卵は丸いものから細長いものまで、そのかたちはさまざまです。鳥の卵のように片端がとがったものも、両端とも同じかたちのものもあります。これまで発見されたもののなかで一番小さいものはニワトリの卵よりも小さく、一番大きなものは長さが60センチもあります。大きな卵を産む動物は、ほかにどんなものがいますか？

もちろん恐竜は氷のようにカチカチの卵から生まれていたわけではありません。は虫類である恐竜は卵黄のある大きな卵を産んで、そこから赤ん坊が出てきます。でも現在見つかっている恐竜の卵は化石という石になっています。動物のなかには、は虫類や鳥や昆虫のように卵を産むものもあれば、人間を含めたほ乳類のように赤ん坊を産むものもいます。

恐竜の卵の化石はたくさん見つかっていて、恐竜の赤ん坊がなかに入っているものもあります。それほど大きくはなくて、普通は長さが25センチぐらいです。これはアフリカのマダガスカル島に17世紀まで棲んでいたとされている、エピオルニスというダチョウのような世界最大の鳥の卵と同じぐらいの大きさです。鳥も卵を産みますが、それは鳥が恐竜の子孫だからです。1億2500万年まえにいた始祖鳥という恐竜は、鳥のようなつばさのある最古の鳥です。でも始祖鳥はあまり遠くまで飛ぶことはできなかったみたいです。

こんな実験もいかが？

お湯をかけて氷を融かせば、ハンマーを使わなくても恐竜を出すことができます。

8000万年ぐらいまえに生息していたハドロサウルスという恐竜の卵の化石

水の綱渡り

ひもをつたって水が落ちていくよ

用意するもの

☑ 50センチぐらいの長さの細いひも。綿などの水を吸うものを使ってください。ビニールひもはダメです
☑ 透明なプラスティックのコップ2個
☑ 食品着色料
☑ セロハンテープ
☑ 水

学習のめあて

水の表面張力は

こんなはたらきもする

所要時間

15分

手順

ひもを水にひたして濡らします。

ひもの両端をそれぞれコップに入れます。

ひもの両端をそれぞれコップの内側にセロハンテープで留めます。

片方のコップに水を半分まで注いで、食品着色料を入れて混ぜます。

水を注いだほうのコップを持ち上げて、ひもをピンと張ります（空っぽのコップはお子さんが押さえておいてください）。つぎにコップをゆっくりとかたむけて、ひもの端を水にひたします。ひも全体がまだ濡れているかどうか、たしかめておいてください。

水がひもをつたってどんどん空っぽのコップに移っていきます！

どうしてこうなるの？

p.82「シャボン玉をつかまえろ！」で学んだ表面張力で、水はひもの表面にくっついています。なので水は重力に引っ張られて糸にそって流れ落ちていきます。そして p.124「魔法のコップ」のサイフォンと同じように、水はくっつき合っているのでひもからこぼれ落ちにくくなっています。表面張力で水が繊維にそって引っ張り上げられる〈ウィッキング現象〉に似ていますが、この実験では逆に水は重力によって落ちていきます。

さらにもうワンポイント

この実験でひもにくっついたように、水は表面張力でクモの巣にもくっつきます。早朝のしめった空気のなかの水蒸気が露の膜になってクモの糸をおおうことがあります。でも、水はクモの巣の全体を均一におおっているわけではありません。クモの糸をおおっている水の"チューブ"は、糸にそってほぼ同じ間隔でとぎれて水滴になって、真珠のネックレスみたいになります。

クモの巣にできた水滴

水は液体にも固体にも気体にもなります。それぞれの状態の水を何と言うでしょう？

こんな実験もいかが？

水の表面張力は小さくすることができます。ボウルに張った水の表面にシナモンパウダーを振りかけます。つぎに、液体洗剤にひたした綿棒でそっと水の表面にふれます。粉はどうなりますか？

10分でできる実験

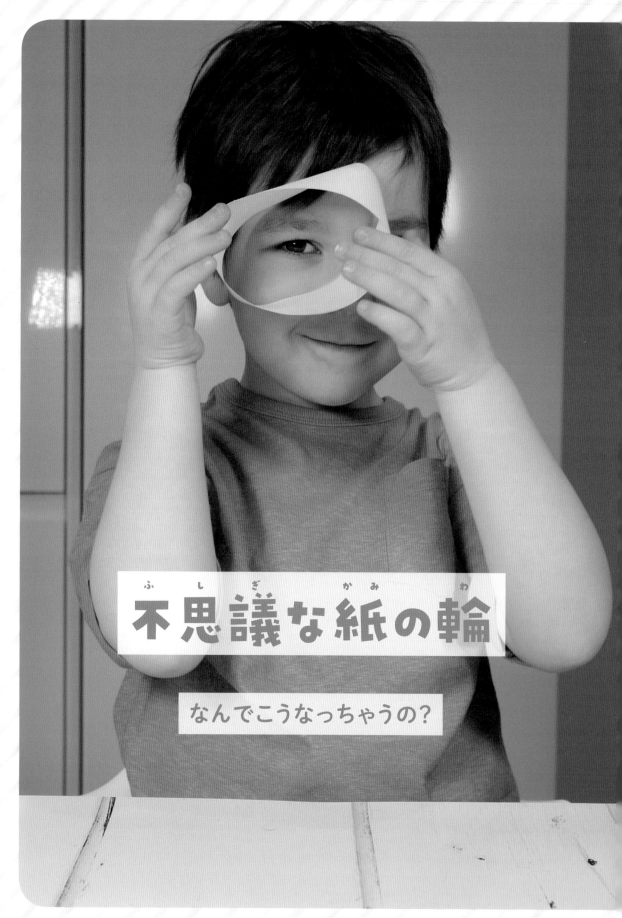

不思議な紙の輪

なんでこうなっちゃうの？

用意するもの

☑ A4サイズの紙1枚
☑ セロハンテープ
☑ ハサミ

学習のめあて

位相幾何学の
初歩の初歩を学ぶ

所要時間

10分

手順

1

A4サイズの紙を4センチか5センチぐらいの幅で縦に切り分けて、3本の帯を作ります。線を引いてあげたほうがお子さんは切りやすいでしょう。

2

まずは紙の帯の両端をそのままセロハンテープでくっつけて輪っかにします。

3

ふたつ目の輪っかは、1回ねじってから両端をくっつけてください。

3つ目の輪っかは、2回ねじってから両端をくっつけてください。

3つの輪っかの帯の真ん中に縦にハサミを入れて、ふたつに切り分けてみてください。どうなりますか？
ねじっていない輪っかは、普通にふたつの輪っかができます。

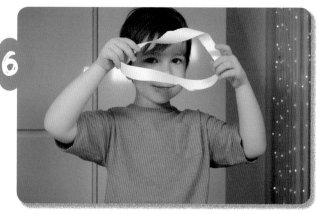

でも1回ねじった輪っかは、2回ねじれた大きな輪っかがひとつできます。

2回ねじった輪っかは、1回ねじれた輪っかがふたつできて、しかもつながっています。

粘土で"位相幾何学的"には同じだけれども、まったくちがうかたちのものを作ることができますか？　穴の数に気をつけて！

1回ねじった輪っかは、位相幾何学を研究していた19世紀のドイツの数学者にちなんで〈メビウスの輪〉と呼ばれています。メビウスの輪の不思議なところは、ふたつに切り分けようとしたらひとつの大きな輪っかになることです。切り分けるまえの状態で、エンピツでなぞってみましょう。輪っかを2周しないと、なぞり始めたところに戻ってこれないはずです。つまりエンピツの線は輪っかの長さの2倍になります。

位相幾何学は、ものの形状をあつかう数学の一分野です。粘土で作ったあるかたちのものを別のかたちに変えるとき、穴をあけたりなくしたりしないかぎり、変えるまえとあとのかたちは、位相幾何学では同じものになります。つまりボールのような球体とサイコロみたいな立方体はおなじものですが、ドーナッツのかたちは平らにして真ん中に穴をあけたり、筒状にして両端をつなぎ合わせたりしなければならないので位相幾何学的には別のものです。そのドーナッツの穴をずらして取っ手にして、一部をへこませたら、コーヒーカップのかたちに変えることができます。つまり穴をふさぐことはないので、ドーナッツのかたちとコーヒーカップは位相幾何学的には同じかたちになります。

メビウスの輪の"内側"と"外側"をそれぞれ別の色で塗ってみましょう。ねじってない輪っかならどうってことありませんが、メビウスの輪は塗っているうちに同じ色になってしまいます。これはメビウスの輪は面がひとつしかないからです。
メビウスの輪の真ん中ではなく端から3分の1くらいのところで切ってみてください。この場合、切り始めの位置に戻るまでさらにもう2周分カットしなければなりません。どんな輪っかになりますか？

ドーナッツもコーヒーカップも、位相幾何学的には同じかたちになります

色はどこから
出てきたの？

振っただけで色がつく?

用意するもの

- ☑ 水
- ☑ 食品着色料（できれば4種類か5種類）
- ☑ フタつきの広口のビン
  （色の数だけ用意します）
- ☑ 綿棒

学習のめあて

不思議！

どうして色がつくの？

所要時間

10 分

手順

全部のビンに水を満たして、フタの裏にそれぞれちがう色の食品着色料を少したらします。

綿棒を使って食品着色料をのばして、フタの裏からたれて落ちないようにします（ここまではお子さんにないしょで準備しましょう）。

フタを閉めます。
ボトルはどれも同じに見えます。今のところは……

……でもビンを振ると、魔法をかけたように水に色がつきます！

こんな実験もいかが？

水に色がついたら、こんどはコップにうつして、いろいろな色の水を混ぜてみてください。どんな色になりますか？

タネがわかっていれば、な〜んだ！ってなりますよね。でもお子さんが友だちのまえでやれば自慢できますよ。

原色と、色相環で反対側にある二次色を混ぜたらどんな色になりますか？　よく晴れた日に水をまいて虹を作ってみましょう！

虹には赤・オレンジ・黄色・緑・青・藍色・ムラサキの7つの色がついているとよく言われます。でもほんとうは3つの原色と3つの二次色の、合わせて6色だということがわかっています。虹の色は、ひとつの色からとなりの色へとだんだんと変わっていきます。なので"ここからつぎの色！"とはっきりと線を引くことはできません。つまり藍色は、青からムラサキに変わっていく中間の色なのです。だったら、どうして虹は7色だということになってしまのでしょうか？ここでまたアイザック・ニュートンが登場します。ニュートンは、日光が雨粒のなかを通ると色が分かれて虹ができると考えていました。そしてその分かれた色は、音楽のドレミの音階の数と同じであるべきだとしたのです。とはいえ虹の色の数と音階の数が同じでなければならない理由なんかありません。でもニュートンは同じじゃなければダメだと考えたのです。今では虹の色は科学的には6つということになっています。その6つの色とは、赤黄青の3つの原色と、ふたつの原色が混ざってできるオレンジ・緑・ムラサキという3つの二次色です。この6色の関係は左に示した色相環で説明できます。

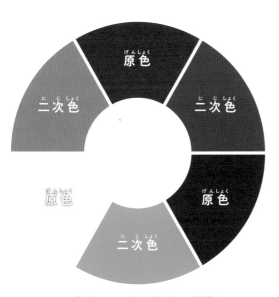

3つの原色と3つの二次色を示した色相環。
二次色は両どなりの原色が混ざってできます

磁石の力を見てみよう

あいだに何かをはさんでも
ペーパークリップは磁石にくっつくかな?

☑ たくさんのペーパークリップ
　（100個ぐらい）
☑ 大きくて強い磁石
　（なければ小さな磁石を何個か）
☑ 薄い本か雑誌

磁石の力は

何かをはさんでも伝わる

手順

ペーパークリップの山を作ります。

ペーパークリップは手にくっつきます
か？　もちろんくっつきません。

でも手のひらをペーパークリップの山の上に置いて、手の甲に磁石を置いてみてください。

手を上げると、ペーパークリップが手のひらにくっついてぶら下がります（磁石の力が手のなかを通ってもからだに害はありません）。

手を薄い本か雑誌に替えて同じことをやってみてください。

でも手や本から磁石を取ると、ペーパークリップは全部落ちてしまいます。

ペーパークリップで磁石をしばらくのあいだおおってみてください。磁石を取り出すと、ペーパークリップ同士はくっつき合って粘土のようになります。

磁石は鉄などの金属を引きつける磁力を生み出します。強い磁力は手や本などの物体を通り抜けることができます。

家にあるいろいろな磁石をくらべてみてください。どの磁石が一番強いですか？　磁力の強さは、どれだけ多くのペーパークリップを持ち上げることができるかどうかでくらべることができます。

さらにもうワンポイント

ペーパークリップのような金属でできたものが磁石の近くにあると、それ自体も磁石になってほかのペーパークリップを引き寄せます。強力な磁石に針を押し当てて、同じ方向に何度もやさしく"なでる"と、その針は磁石になります。その磁石の針をコルクに突き刺して貫通させて水に浮かべると、方位磁石のように地球の磁場に反応して北極の方向に向きます。でも針の磁力はだんだんと失われていきます。

こんな実験もいかが？

すべての金属が磁石にくっつくわけではありません。小銭やカギ、スプーンやフォークといった食器などに磁石を近づけてみて、どれがくっついて、どれがくっつかないのかを調べてみましょう。

磁石化した針をコルクに突き刺して作った方位磁石。
方位磁石は家で作ることができます

沈没しない船

水面の下にあるのに濡れないのはどうして?

用意するもの

☑ 小さめの折り紙、
　もしくは7センチ×8センチぐらいの紙
☑ 水で満たしたガラス製のボウル
☑ ガラスのコップ

学習のめあて

水中でもコップのなかの空気
がなくならない理由を知る

所要時間

10
分

手順

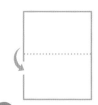

1

右の図のように紙を折って船を作ります。

2

ボウルに張った水の上に紙の船を浮かべます。

船の上からコップをかぶせます。

そのままコップをボウルの底まで押しつけます。

ゆっくりとコップを上げてください。

船はコップといっしょにボウルの水面より下に沈みましたが、コップを引き上げると濡れていません。どうしてでしょう？

コップのなかに入ったままの紙の船は、コップがボウルの底につくと完全に沈んでいるように見えます。でも実際にはコップのなかは水ではなくて空気がつまっています。コップに水が入っていないのなら"空っぽ"だと思えますが、ほんとうは空気が入っているのです。コップがさかさまになっているあいだは、空気はそのままコップのなかにあります。なので船は水面の下にあっても乾いたままなのです。

この実験で作ったのは〈ダイビングベル〉と呼ばれるものです。ダイビングベルは人類最初の"潜水艇"です。古代ギリシアでは、大きなガラスの容器に人間が入って海底を探検したとされていますが、たしかなことはわかりません。ちゃんと記録が残っているのは16世紀のものです。ダイビングベルはものすごく慎重に調節して、なかの空気を逃がさないようにしなければなりません。それに新鮮な空気をなかに送りこまないと、長いあいだ水中にいることはできません。ダイビングベルは今でも海底調査に使われています。

ヨーロッパでいちばん古い折り紙の図は、ヨハネス・ド・サクロボスコという学者が書いた本のうち、1490年に印刷されたものに挿し絵として載っているものです。その図はこの実験で作った紙の船とよく似ています。

こんな実験もいかが？

ピンポン球に顔を描いてダイバーに見立てて水の入ったボウルに浮かべて、コップのダイビングベルで沈めてみましょう。ピンポン球も紙の船と同じように濡れないまま沈みますが、ここでコップの底に穴をあけたらどうなるでしょう？プラスティックのコップでやってみるといいでしょう。

大昔のダイビングベル

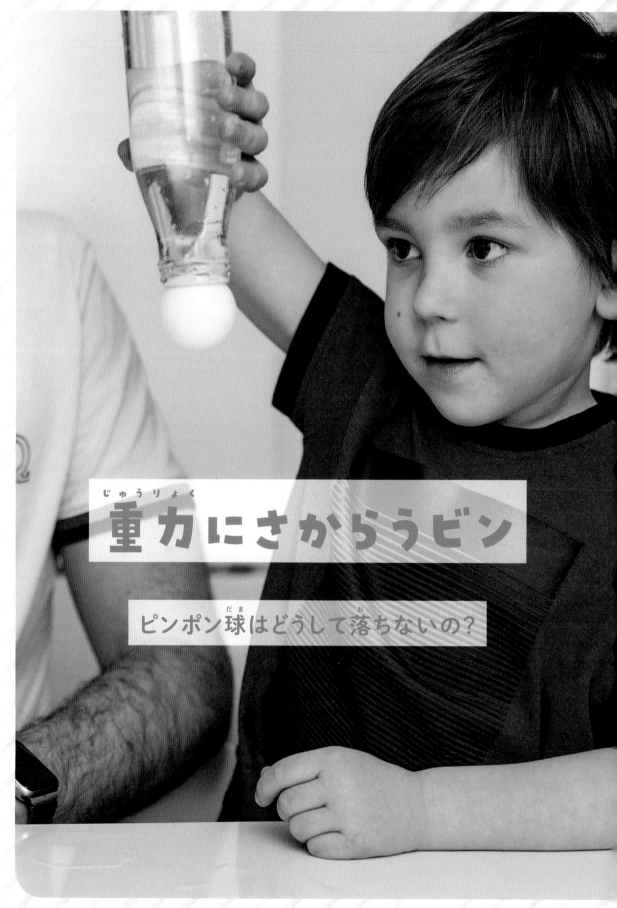

重力にさからうビン

ピンポン球はどうして落ちないの?

用意するもの

☑ 水
☑ 牛乳ビン、もしくはそれに似たもの
☑ ピンポン球
☑ 大きなボウル

学習のめあて

真空の力について知る

所要時間

10分

手順

1

ボウルのなかに牛乳ビンを立てて、そのなかに水をこぼれるぐらい満タンに注ぎます。

2

牛乳ビンの口にピンポン球を置きます。

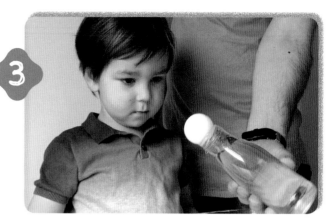

牛乳ビンを上下さかさまにひっくり返します。

ピンポン球は口にくっついたままです！

こんどはお子さんの番です。ピンポン球を取ったらどうなりますか？

牛乳ビンをひっくり返して水を出すには、水のかわりに空気をなかに入れなければなりません。でもピンポン球が口をふさいでいるので空気は入ってくることができません。どうして水のかわりになるものが必要なのでしょうか？　重力の力だけで水は落ちると思うところですが、それだけでは足りないみたいです。かわりになる空気がないまま水が全部出てしまうと、ビンのなかには何もなくなってしまいます。つまり真空になるのです。そして真空空間を作るためには、重力よりも大きな力が必要なのです。古代ギリシアの哲学者アリストテレスは「自然は真空をきらう」という言葉を残していますが、言いかえれば「かわりになるものがないまま水が出ることを自然はゆるさない」ということになります。もっとくわしく説明すると、わたしたちのまわりにある空気には圧力があります。それは、空気はものすごく軽いけれども重量がゼロというわけではないからです。その空気が何キロメートルも上からわたしたちを押しつけています。この空気の圧力（気圧）がピンポン球を押して、真空ができないようにしています。

真空の力を利用しているものに掃除機があります。掃除機はモーターでファンを回してなかの空気を吸い出して部分真空を作る、つまりなかの空気の圧力をかなり低くします。そして掃除機のノズルから空気がいきおいよく流れこみ、掃除機のそとの空気の圧力に押されて吸引力が生まれます。ほこりの粒子やごみクズや小さなおもちゃといったものは、この吹きこむ空気に引きずられます。吸引力はピンポン球を牛乳ビンの口に固定している力と基本的に同じものです。

真空空間でも掃除機はゴミを吸い取ることができるでしょうか？

こんな実験もいかが？

ピンポン球以外のものでも牛乳ビンの口をふさぐことができます。はがきやトランプのようなカードをビンの口の上に置いて、すべり落ちないように持ったままビンをひっくり返して、手を放します。ピンポン球の場合はビンの口にはまって栓のようになっているのかもと思えますが、カードの場合は落ちるのを止めるものは何もありません。ビンのなかに水を半分だけ注いだ状態で同じことをためしてください。やっぱりカードは落ちないですよね？　水の量をいろいろと変えてみて、カードが落ちないようにするにはどれぐらいの水が必要なのかもぜひ調べてみてください。

「映え」る実験

水に浮かぶ絵

これがほんとの"飛び出す絵"！

☑ 水
☑ 白い陶器の皿
☑ いろいろな色の
　ホワイトボードマーカー
　（できれば新品）

学習のめあて

マーカーのインクのちがい

所要時間

20
分

手順

用意したホワイトボードマーカーがこの
実験に使えるかどうか確認します。皿に
点を描いて、水を注ぎます。点が水に浮
かべばOKです。全色ためしてみてくだ
さい。

問題がなければ皿に絵を描きます。線だ
けの絵でもいいですが、色付きの絵がお
ススメです。

皿にゆっくりと水を注ぎます。

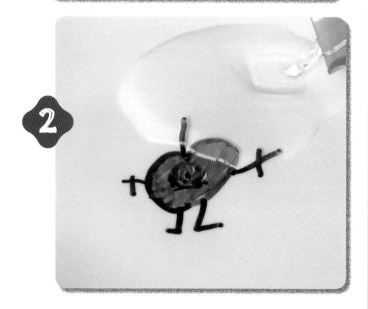

絵は皿からはがれて浮かんできます。

ストローでそっと息を吹きかけてみましょう。

普通のマジックマーカーで描いたらどうなるでしょうか？

いろんな絵を描いて水に浮かべてみましょう！

どうしてこうなるの？

今回は科学の実験というよりも創造力を育むことが目的です。でも仕組みは説明しておきましょう。ホワイトボードマーカーに使われているインクには、高分子化合物というプラスティックの材料になるものが使われています。このポリマーでできたインクは乾くとフィルム状になり、水に溶けなくなります。そして陶器の皿のようなつるつるとしたものにはしっかりとくっつきません（ガラスでもそうなります）。なので水を注ぐとはがれて浮かぶのです。

さらにもうワンポイント

マジックマーカーのインクはほとんどの表面にしっかりとくっつくので、なかなか落ちません。反対に、ホワイトボードマーカーのインクのくっつく力はかなり弱いのです。

でもホワイトボードマーカーで描いた絵が水に浮かぶ理由はそれだけではありません。インクが水よりも軽いから浮かぶのです。

こんな実験もいかが？

水の上に紙を置いて、浮かんでいる絵を移し取ってみましょう。

この実験では使えないマジックマーカーはアルコールで落とすことができます

魔法のビン

色をいろいろと混ぜてみよう

☑ 透明なベビーオイル
☑ 水
☑ 赤と黄色と青の３つの原色の食品着色料。
　３色とも水性のものと油性のものを
　用意してください
☑ フタつきのガラス容器３個

原色同士を混ぜたら

二次色ができる

25
分

手順

1

３個のガラス容器にそれぞれ水を半分注いで、水性の食品着色料をひとつの容器に１色ずつ、数滴たらしてかき混ぜます。

2

その上からベビーオイルを注ぎます。ベビーオイルは水よりも密度が低い、つまり水より軽いので、注いでも水の上に浮きます。

3

ベビーオイルに油性の食品着色料を数滴たらしてかき混ぜます。青の容器には黄色、黄色の容器には赤、赤の容器には青を入れます。

4

容器にフタをして、お子さんに振ってもらいます。

絵の具や食品着色料じゃなくて色のついた光を重ね合わせたとき、どんな色同士を使えば黄色になりますか？

5

水と油はなかなか混ざらないので、お子さんを手伝ってあげてもいいでしょう。

水と油が混ざると、赤と黄色はオレンジに、青と黄色は緑に、赤と青はムラサキに変わります。変わった３つの色は二次色です。

水と油はすぐに分かれて、原色に戻ります。でも完全には戻らずに、混ざった色の層が真ん中にできているかもしれません。もう一度振ってみましょう。

6

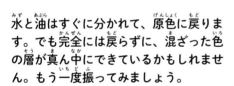

こんな実験もいかが？

液体洗剤を数滴入れてから容器を振ると、ふたつの色はずっと混ざったままになります。液体洗剤のなかの石けんの分子が、水に溶ける膜で油の粒子を包むからです。市販のサラダドレッシングのなかには水分と油分が完全に混ざっているものがあるのも、こうした分子が入っているからです。もちろんドレッシングのなかにあるのは石けんの分子ではありませんよ。

どうしてこうなるの？

原色は赤と黄色と青の3つしかありません。この3つの色はほかの色を混ぜて作ることはできません。3つの原色がふたつずつ混ざってできる二次色も3つあります。青と黄色が混ざると緑になるのは今回の実験でわかります。青い水と黄色いベビーオイルをひとつの容器に入れて振ると、水と油は小さな小さな粒子に分解されます。そして全部の粒子が混ざり合うと、いっしょに食品着色料の粒子も混ざり合って緑になります。でも水と油は完全に混ざり合うことはないので、ゆっくりと分かれてしまいます。サラダドレッシングの場合は酢と食用油ですが、やはり同じことです。

さらにもうワンポイント

画家たちは絵の具同士を混ぜて色を作ります。お子さんたちもこのテクニックを学んでいきます。いろいろな色を混ぜると、二次色だけではなくピンクやグレーといった色を作ることができます。テレビも3つの原色をいろんな分量で混ぜてたくさんの色を作っています。でもテレビの画面をよく見てみると（目によくないので長く見ることは厳禁！）赤と青と"緑"が原色として使われていることがわかります。そしてこの3つの原色の点が重なる部分が白くなっていることもわかります。でも、どうして黄色じゃなくて緑なのでしょうか？　3つの原色を混ぜると、絵の具だと茶色になるのにテレビは白になるのはどうしてでしょう？テレビでは絵の具ではなくて光を混ぜて色を作ります。そして絵の具と光では混ぜてできる色がちがいます。光では赤と緑が混ざって黄色になり、赤青緑が混ざって白になるのです。画面の色の点はものすごく小さくて目では区別することができないので、色が混ざって見えるのです。絵の具や着色料やインクを混ぜて色を作ることを減法混色、光を混ぜて色を作ることを加法混色と言います。

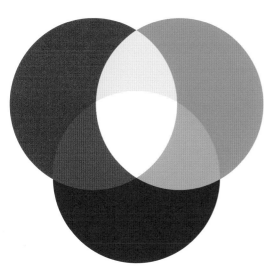

色のついた光の色の作り方は、絵の具の色の作り方とはちがいます。たとえば赤青緑の"光の"3原色を混ぜると白になります

氷に絵を描いてみよう

絵の具が乾かない絵って？

用意するもの

☑ 絵の具と絵筆
☑ 平らな氷
　（皿やトレーに水を注いで冷凍庫で
　凍らせてください）
☑ 氷を置く大きな皿やトレー

氷はまえもって用意しておいてください。

学習のめあて

絵は紙の上じゃなくても
描けるよ！

所要時間

20
分

手順

1

用意しておいた氷の平らなほうを上にして大きな皿やトレーに置きます。

2

氷の上に絵の具で絵を描きましょう！

3

底が丸くなっている氷だと、絵筆に押されてクルクルと回ってしまうかもしれません。それはそれで、お子さんは氷が滑りやすいものだということを学びます。

油彩絵の具を水の上にたらして、その上に紙を置くとどうなるでしょう？

4

5

氷の上に絵を描くことはできますが、その絵を完成させることはできません。傑作を描き終えるよりもはやく氷が融けて、絵の具を洗い流してしまうからです。なのでずっと描きつづけることになります。この実験では、氷のことを楽しく学ぶことができます。氷は何でできてるの？　どうして固まっているの？　どうして氷はこんなに冷たいの？　どうしてツルツルすべるの？　どれぐらい経ったら絵は融けちゃうの？　絵が融けたらどうなるの？　こんな質問をいろいろとして、お子さんに考えてもらいましょう。

氷がツルツルとすべる理由は最近わかったばかりです

氷はどうしてこんなにかたいのでしょうか？　液体は冷えると固まり、固体は熱すると溶けるという性質があります。岩だって地球の奥底で溶けて、火山から噴き出します。ではなぜ氷はかたいのでしょうか？　すべての液体は冷やすと凍り、固体は高温で溶けてしまいます。熱して溶かした金属を型に注いで、いろいろなかたちのものを作ることができます。銅像などがそうですよね。固体と液体のちがいは、固体はすべての原子や分子がぎっちりつめこまれていて動きまわることができないのに、液体の場合はあちこち動きまわることができるところにあります。では、氷はどうしてツルツルとすべるのでしょう？　これは大昔からの謎で、足やスケート靴の刃で氷を押しつけるとその部分が溶けるからすべるという説や、融けるのではなくて水が出てきて薄い膜ができて、だからすべるのだという説がありました。でも最近になって、氷の表面では水の分子が自由に動きまわれる状態になっているから、ということがわかりました。

こんな実験もいかが？

ラメやアルミホイルの切れ端といった水以外のものも氷のなかに入れて凍らせることができます。

色のかくれんぼ

文字を濡らすとほんとうの色が見えてくる

用意するもの

- ☑ 水
- ☑ いろいろな色の水性ペン
- ☑ 黒の油性ペン
- ☑ ペーパータオル
- ☑ スポイト

学習のめあて

忘れないやり方で
色の名前をおぼえよう！

所要時間

20分

手順

1

先にどうなるのかを説明します。赤や青といった色の名前が黒い字で書かれたペーパータオルの上に水を垂らすと、その書かれた色が文字の下からにじみ出してきます。

2

ペーパータオルに、いろんな色の水性ペンでその色の名前を書きます。

書いた文字の上を黒の油性ペンでなぞります。

お子さんに、スポイトを使って黒い文字の上に水を落としてもらいます。
すると……

……黒い文字の下から、その色の名前の色がにじみ出てきます。

お子さんが色の単語を理解しているかどうか確認することができます。

油性ペンは、どんなところに書いても
しっかりとくっつく、水に溶けないイン
クを使っています。でも水性フェルトペ
ンのインクは水に溶けます。なのでペー
パータオルが水で濡れると、黒いインク
は紙の繊維にくっついたままですが、そ
の下のカラフルなインクは水に溶けて出
てきます。

水はどうして紙にしみこむのでしょ
うか？　水は紙のなかに"流れこんでい
る"のではなくて、紙の繊維同士に引っ
張られるのです。紙は小さな繊維同士が
すき間なくからみ合ってできているよう
に見えます。この目に見えないすき間に
水が引きこまれるのは、ここでも水の表
面張力がはたらいているからです。表面
張力がもつれた繊維のあいだではたらい
て水を引きこむことは〈ウィッキング現
象〉と呼ばれています。ロウソクに火を
ともしたとき、溶けたロウがロウソクの
芯のなかを上って燃えるのもこの現象の
せいです。

?

ペーパータオルと普通の紙では、どちらのほ
うが水がしみわたっていくスピードがはやい
でしょうか？
濡らしたペーパータオルの上に水彩絵の具を
たらしたらどうなりますか？

葉っぱについた水が丸い水滴になるのも、下に落ちないのも表
面張力がはたらいているからです

こんな実験もいかが？

いろんな国の言葉で色の名前を書
けば、外国語の勉強にもなります。

版画を作ろう！

アルミホイルでカラフルな版画を作ろう

用意するもの

☑ 幅の広いアルミホイル
☑ 絵の具と絵筆
☑ 白い紙

学習のめあて

版画の作り方を楽しく学ぼう

所要時間

20分

手順

アルミホイルを広げます。

1

お子さんに絵筆をわたして、好きなように描いてもらいましょう！

2

描いた絵の上に白い紙を置いて、そっと
全体を押さえます。

紙をはがすと、版画のできあがり！

こんな実験もいかが？

葉っぱや気泡シートやサンドペーパーといった、いろいろな手ざわりのものを絵の具で塗って紙を押しつけても、版画は作ることができます。こうした手ざわりのものが何でできているのか調べてみてもいいでしょう。

この実験には科学的な要素はほとんどありませんが、それでも版画はもとになる絵の鏡返しになることがわかります。手形を押してみたらよくわかります。いろんな素材の性質のちがいを学ぶこともできます。アルミホイルは紙よりも簡単にしわくちゃにすることができて、なかなかもとには戻りません。それに水をまったく吸いません。絵の具もしみこまないので版画にはうってつけなのです。

金属の表面を使った版画は、少なくとも中世までその歴史をさかのぼることができる古い技法です。版画家たちは、硬くてとがった金属の道具を使って金属の板（たいていは銅です）の表面をひっかいて、絵や図形を描きます。つぎに板の表面にまんべんなくインクを塗って、ひっかいた部分にしっかりとインクが入るようにします。そしてインクをふき取って、ローラーなどを使って板に紙を強く押し当てます。するとひっかいた部分のインクが紙に移るという仕組みです。こうやって作られる版画は線だけの絵ですが、インクの色をいろいろと替えればカラフルな版画になります。

拓本も版画のひとつです。これはでこぼこしたものの上に紙を置いて、やわらかいエンピツをこすりつけて、そのでこぼこを紙に写し取る技法です。家にあるでこぼこしたもの（小銭なんかでもいいです）の上に紙を置いて、クレヨンでこすってみてください。どうなりますか？

子どもは手形をべたべたつけたがります。さて、右手の手形は右手のかたちになるでしょうか？

スイーツ万華鏡

お菓子で虹色のカラフルなパターンを描こう！

用意するもの
ようい

- ☑ M&M'S® のようなカラフルな
  チョコレートやキャンディ
- ☑ ぬるま湯
- ☑ 大きな白い皿

学習のめあて
がくしゅう

科学を学ぶというよりも、
不思議でカラフルな
パターンを楽しもう！

所要時間
しょようじかん

10 分

手順
てじゅん

1

いろんな色のM&M'S® を皿の上にすき間ができないようにきっちりと円のかたちに並べます。

2

ぬるま湯を円の中心から、M&M'S® の
輪に届くまで注ぎます。

するとすぐにM&M'S® から色がにじみ
出てきて、円の中心に向かって伸びて
いきます。虹色の車輪模様のできあがり！

こんな実験もいかが？

いろんな種類の、いろんなかたち
のお菓子でためしてみてくださ
い。絵になるようにかたちを作っ
てもいいでしょう。ぬるま湯の温
度によってどう変化するのかも
確認してみてください。

M&M'S® のカラフルな着色料がぬるま湯に溶けるのは不思議でも何でもありません。不思議なのは、溶けた着色料が自転車の車輪のように溶け出していくことです。なぜでしょう？

　ここにも密度が絡んでいます。ぬるま湯には着色料だけではなく、いっしょに砂糖も溶け出します。p.60「コップで密度を調べてみよう」で実験したとおり、砂糖が溶け出した部分のぬるま湯はほかの部分よりも重くなって、着色料といっしょに皿の真ん中のくぼんでいるほうに落ちていきます。

　となり合った色同士が混ざってしまいそうですが、そうならないのは混ざるスピードが落ちていくスピードよりもずっと遅いからです。着色料の分子がぬるま湯のなかを自由に動きまわる拡散という現象が起こらないと、色は混ざりません。ぬるま湯が皿の中心に向かって流れているあいだは、着色料もその流れに乗るだけで、すぐには横には広がりません。

コップのなかの水の温度をいろいろと変えて、食品着色料をほんの少しだけ落としてみてください。温度によってどう変化するのか見てみましょう。

　水のなかに溶けている物質の密度が場所によって差があると、水に流れが生じます。これと同じことが海でも起こっています。海面の海水が蒸発しても、塩分はいっしょに蒸発せずにそのまま残ります。結果として海面近くの海水の塩分の密度が上がり、重くなって海の底のほうに沈んでいきます。この沈んでいく海水が巨大なベルトコンベアみたいに海全体の海水を動かすのです。この海水の循環は南の暖かい海水を北と南の冷たい海に運んで、海水温度を均一にしていきます。

　メキシコ湾から運ばれてくる暖かい海水はメキシコ湾流と呼ばれています。北大西洋を横断してヨーロッパ西部に到達する暖かいメキシコ湾流は、暖かい空気も運んできます。このメキシコ湾流がなければ、イギリスと北欧はもっと寒い気候になるでしょう。

メキシコ湾流の流れ

あとがき

　みなさんがこの本を好きになって大いに楽しんで、さらに新しい気づきも得られたらと願っています。この本の実験を全部やり終えても、お子さんといっしょにいろんなことをためしてみてください。実験のヒントがご入用なら、ぜひwww.thedadlab.comをご覧になってください。

　ご理解いただけると思いますが、〈TheDad Lab〉は家族に重点を置いています。この本を通じて、お子さんはいろんなことを学ぶはずです。でも一番大切なのは科学的事実ではなく好奇心と創造性です。そして最善の学びの姿勢とは、予備知識や偏見などに惑わされずに開放的であること、探求心を育むこと、疑問を持つこと、実験で何が起こるのか確認すること、みんなでいっしょに実験しながら楽しい時間を過ごすことなのです！

とくに開放的で探求心を絶やさないことは何よりも重要です。〈TheDadLab〉でご紹介した実験が示すものは処方箋ではなくて、提案です。お子さんたちの言うことに耳を傾け、彼らが望んでいることや関心を抱いているものやことに合わせて実験にいろいろと手を加えてみてください。その実験であなたが重要だと思っていることに、お子さんは必ずしも興味を抱いて目を輝かせるとはかぎりません。

〈TheDadLab〉の目標は創造的で好奇心旺盛な次世代を育むことです。そんな子供たちを、世界は必要としています。わたしたちひとりひとりが手をつないで実現していきましょう。

謝　辞

　この本の執筆と出版には、実に多くのみなさんからご協力を賜りました。そのみなさん全員に感謝の言葉を捧げます。

　最初に、ぼくの家族に感謝します。ぼくが答えを知らない質問を毎日毎日繰り出してきて実験のアイディアを提供してくれて、そしてかわいいモデルとしてこの本に登場してくれた、好奇心で一杯のふたりの息子たちに感謝します。ぼく自身と〈TheDadLab〉の両方の旅路の伴侶であり、その一歩一歩を支えてくれる頼れるアドバイザーであるターニャにも感謝します。

　普通の人間でも本が書けると言ってぼくをまんまと丸めこみ、執筆中は文字どおり手取り足取り指導してくれた出版エージェントのキャスリーン・オルティスに心から感謝します。

　この本でぼくが目指していたことを完全に理解して、その仕上がりにとことん完璧を求めた編集者のジョエル・シモンズに多大なる感謝を捧げます。彼の熱意はぼくにまで乗り移りました。

〈TheDadLab〉のそれぞれの実験の背後にある科学について詳細な知識や情報を提供してくれて、分別のある助言をしてくれたジョン・ボールに感謝します。

　この本を見事にデザインしてくれたデイヴィッド・ピットにも感謝します。

　ぼくと息子たちの楽しいひとときを見事に捉えてくれたヴィクトリア・クールコとスヴェトラーナ・ライカー、ナタリア・ゴルボヴァにも感謝します。彼女たちが撮った写真なしにはこの本は存在しませんでした。

　そして最後に一番大切な人たちに感謝します。〈TheDadLab〉を手に取って読んでくれたみなさん、www.thedadlab.comのファンのみなさん、みなさんのご支援と、みなさんとみなさんのお子さんたちがぼくとつながってくれたことに感謝します。ありがとう。

写真クレジット

著者 セルゲイ・ウルバン　Sergei Urban

2児を育てる専業の父親。家庭で教育しながら、子どもと質の高い時間を過ごす簡単で楽しい方法をシェアするために、実験動画サイト〈TheDadLab〉を立ち上げた。ラトビア出身、現在は妻と二人の息子とロンドン在住。〈TheDadLab〉は世界でファンが300万人に上り、現在はドリームワークス、サムスン電子、アップル、LEGO社とパートナーシップを結んで活躍。

訳者 黒木章人　くろき・ふみひと

翻訳家。立命館大学産業社会学部卒。訳書に『独裁者はこんな本を書いていた』『フェルメールと天才科学者』『人類史上最強　ナノ兵器』『悪態の科学』(原書房)、『ビジネスブロックチェーン　ビットコイン、FinTechを生みだす技術革命』(日経BP)など。

今日から理系思考！
「お家にある材料」でおもしろ科学の実験図鑑

2020年9月4日　第1刷

著者 ・・・・・・・・・セルゲイ・ウルバン
訳者 ・・・・・・・・・黒木章人
　　　　　　　くろきふみひと
ブックデザイン・・・永井亜矢子 (陽々舎)
発行者 ・・・・・・・・成瀬雅人
発行所 ・・・・・・・・株式会社原書房
　　　　　　　〒160-0022 東京都新宿区新宿1-25-13
　　　　　　　電話・代表　03(3354)0685
　　　　　　　http://www.harashobo.co.jp/
　　　　　　　振替・00150-6-151594
印刷 ・・・・・・・・・シナノ印刷株式会社
製本 ・・・・・・・・・東京美術紙工協業組合